Le Qi de Temps

Roman

René Chartré

Le Qi de Temps
René Chartré

Éditions Café Crème
3925, rue de la Fée Rouge
Sainte-Adèle, Québec
Canada J8B 3G9
450 229-6588
www.editionscafecreme.com

Conception graphique : René Chartré, Pierre A. Durivage et Jean-François Bienvenue
Mise en page : Jean-François Bienvenue
Infographie Boréale Inc.
12, rue Brissette • Sainte-Agathe-des-Monts
Québec J8C 3K2
Tél. : 819 326-2992
www.infoboreale.com • info@infoboreale.com

ISBN : 978-2-923644-12-7

Le Qi de Temps
© Les Éditions Café Crème - 2008
Dépôt légal : Bibliothèque et Archives nationales du Québec, 2008
Dépôt légal : Bibliothèque et Archives Canada, 2008

Imprimé au Canada

Avec tout mon amour à S.

Amitiés à A, B, C, D, E, F, G, H, I, J, K, L, M, N, O, P, Q, R, T, U, V, W, X, Y, Z, pour m'avoir si gentiment soutenu.

«Ce n'est pas la réalité qui compte dans un film,
mais ce que l'imagination peut en faire.»
[Charlie Chaplin] - *Ma vie*

Sur le faîte d'une maison à étages, une corneille curieuse regarde les gens entrer à l'intérieur. Au-dessus de leur tête, une affiche étale en gros titre :

Le Qi de Temps
En vedette :
Sue Haves et Sissy Phasolle
Scénario de René Chartré

Une fois entrés et passés par la billetterie, ils devront résister, ou pas, à l'odeur du maïs soufflé; résister, ou pas, à une boisson gazeuse; résister, ou pas, à une barre de chocolat ou à des croustilles. Ils pourront, après avoir vaincu ces obstacles gastro-psychologiques, pénétrer dans la pénombre de la grande salle et se choisir un fauteuil moelleux. Ils s'y affaleront, seulement après avoir dérangé ceux qui les ont précédés.

Pendant que les spectateurs s'installent, le projectionniste prépare soigneusement ses appareils et, à l'heure prévue, tamise davantage les lumières jusqu'à une quasi-noirceur, signe, pour les personnes présentes, qu'elles vont laisser une réalité pour entrer dans une autre…

Dans la noirceur installée, elles entendent les moteurs tirer sur les rideaux qui découvrent l'écran.

À ce moment, le projectionniste appuie sur un bouton et le projecteur lance un jet de lumière, de son œil de cyclope jusqu'à l'écran.

BIENTÔT À L'AFFICHE
Bossalo
de François Barcelo

J'interromps mon mouvement. Je ne me retourne pas. J'ai beau être un personnage de roman, je n'ai pas du tout envie de mourir.

En tout cas, pas tout de suite. J'aimerais bien vivre encore quelques chapitres…

« ☆☆☆☆½

Je suis tombée amoureuse de Bossalo »

Lisette Gagné, *La Presse*

… Sommes-nous chez les parents de la jeune femme, et elle ne veut pas les réveiller? Cela se pourrait. Que se passera-t-il si on les réveille? Son père va-t-il me flanquer dehors à coups de pied au cul? Pas de coups de fusil : nous sommes au premier chapitre et il faut que je survive encore quelques centaines de pages. À moins d'être un personnage de nouvelle? Mais alors, pourquoi m'aurait-Il fait affirmer dès la première ligne « Je suis un personnage de roman »?…

… C'est une voix d'homme, pas très grave, plutôt vulgaire, je dirais, mais peut-être sont-ce ces mots-là qui manquent de classe. Et l'objet appuyé à ma nuque pourrait bien être une arme à feu. Ne me demandez pas de quel genre – revolver, carabine, pistolet, fusil de chasse –, je n'y connais rien. Mais ça ressemble à l'extrémité d'un petit tube de métal.

« ☆☆☆☆

Le meilleur Barcelo jamais réalisé. »

Maxime Damien, *Journal de l'Île*

Oui, il y a des tas de choses qu'Il ignore à mon sujet. Mon âge précis, par exemple. J'ai vingt-neuf ans, mais je serais étonné qu'Il connaisse la date de ma naissance, ou même l'année. Il ne sait pas nécessairement en quelle année on est. Je suis peut-être un personnage de science-fiction, ou de roman historique pas très ancien.

François Barcelo

… Ce matin il me fait prendre le métro pour aller au bureau. Quel bureau? Je parierais qu'Il ne le sait pas encore.

« ☆☆☆☆

Une autre performance de Barcelo »

Réjeanne Leblanc, *Écho de l'Information*

… J'aurais beau regimber, protester, me désoler, ça ne changerait rien à cette réalité : je suis dépendant de Sa volonté. Je me sens aussi stupide qu'un croyant qui mettrait son sort entre les mains d'un dieu.

... J'ai une idée. S'Il accepte de me laisser mourir en héros, je suis prêt à reprendre le travail. Avec enthousiasme, si ça peut Lui faire plaisir.

Victor Bossalo	Personnage de roman
Patricia	Épouse
Suzanne	Secrétaire
Rascitouni	Docteur no 1
Armand Sincyr	Docteur no 2
Marina Baranger	associée et...

 Sans supervision d'un adulte.
Disponible tout près de chez vous.

Les têtes à Papineau
de Jacques Godbout

« ☆☆☆☆

Tout simplement génial »
Pierre de la Rive, *Le journal de l'innocence*

… Ce n'est pas commode. De plus en plus, nous nous regardons comme des chiens de garde, les babines retroussées sur nos dents pointues. Or, nous sommes condamnés, comme personne au monde, à un perpétuel tête-à-tête : nous n'avons, de naissance, qu'un seul cou, un seul tronc, deux bras, deux cannes, un organe de reproduction.

… Enfin, il est grand temps que nous nous présentions officiellement : Charles-François Papineau, dit « Les têtes » :
(Charles :) – Enchanté…
(François :) – À votre service…

Jacques Godbout

… Vue de face : Charles est à gauche; François, c'est la tête de droite. L'idée que le Dr Northridge veut explorer est la suivante : vidanger la moitié droite de la tête de Charles et la moitié gauche du cerveau de François pour ensuite trancher les deux crânes au laser, de bas en haut, comme on ouvre un melon d'eau mûr.
… — Vous vous trompez de fruit! s'est exclamé François qui n'a pas apprécié l'image de la pastèque.

« ☆☆☆

Une façon unique de saisir le monde »
Jeannette Tranquille, *L'Information*

…

- C'est ce que je déteste le plus, dit souvent Charles : avoir été enfermé, classé au départ, sans appel : monstre double autositaire du groupe des Atlomydes…
- Canadien français catholique? ironise François. Je suis d'accord. Échangeons *De monstris* contre son savoir scientifique. Qu'est-ce qu'il a dit de la spécialité incertaine des cerveaux?

- Ce que l'on savait déjà…

Charles Papineau	Une tête
François Papineau	L'autre tête
Dr Northridge	Docteur
Marie Lalonde	Mère
Alain-AugustePapineau	Père

 Convient à tous les publics en général
Disponible tout près de chez vous.

Les productions
V i b r i s s e
présente

Un scénario de
René
Chartré

 Pour lecteurs de tous âges. Avec ou sans lunettes.

La cime d'une montagne de roc se dresse, majestueuse, sur un fond de ciel nocturne. Un nuage ceint la masse de pierres à sa base.

Un effet de sifflotement d'avion à réaction accompagne la scène.

Une corneille plane, les ailes grandes étendues, vers le sommet de la montagne. Elle ramène ses ailes vers l'avant, ce qui lui permet de ralentir sa course et de poser ses pattes avec douceur sur la cime. Elle pousse un couac conquérant et majestueux. Puis, elle rentre noblement les ailes, les colle le long de son corps, lisse une vibrisse indocile, redresse fièrement la tête et toise de son œil noir les spectateurs.

Plusieurs grosses étoiles blanches à cinq pointes, alignées les unes derrière les autres, arrivent du fond de la scène et forment un cercle autour du corvidé, sur le plan de la verticale. Les étoiles se surimpressionnent sur la voûte céleste ornée d'étoiles partiellement voilées par la Voie lactée.

Elles font, en s'immobilisant autour du corvidé, un énorme vrooooooooommmmmm.

Le Qi de Temps

En vedette
Sue Haves et Sissy Phasolle

COMMENÇONS

LA NOTION INTUITIVE DU TEMPS QUE PEUT
AVOIR UN OBSERVATEUR MACROSCOPIQUE
EST LIÉE À LA NOTION DE CAUSALITÉ QUI
INTRODUIT UNE RELATION D'ORDRE ENTRE
LES ÉVÉNEMENTS : UN PHÉNOMÈNE (EFFET)
NE PEUT AVOIR LIEU QUE SI UN AUTRE
PHÉNOMÈNE (SA CAUSE) L'A PRÉCÉDÉ…

Depuis les temps immémoriaux, Temps n'en faisait qu'à sa guise. Il ne se souvient plus si c'était avant ou après le big-bang. Était-ce beaucoup plus tard, après cette formidable explosion, que l'on vint le déranger dans son immémoriale quiétude? Allez savoir! On a beau être doté d'une excellente mémoire, mais de là à retenir un détail, somme toute insignifiant, surtout pour lui, un être intemporel. Non. Il ne voyait pas. Quand avait-on pensé à lui pour la première fois? Quand devint-il une réalité? Enfin, un concept réaliste?

Pour se mettre dans l'ambiance, imaginez quinze milliards d'années-lumière, question de partir du big-bang et d'arriver à aujourd'hui, à l'heure où vous lisez ceci. Remarquez que si ce concept vous ennuie, vous pouvez sauter ces lignes, car elles ne sont pas déterminantes dans cette histoire.

Disons, pour nous comprendre, que quinze milliards, c'est quand même démesuré comme chiffre. Considérons ensemble l'ordre de grandeur mathématique de cette échelle. Enfilons les unités, les dizaines, les centaines, les millions, et maintenant, tenons-nous bien. Ça va donner un grand coup. Vous êtes prêts? Poursuivons donc l'échelle : les millions, et le fameux milliard. Combien de zéros? Trop. Pour notre érudition personnelle, l'échelle n'est pas en kilomètres-heure, mais en années-lumière. Quinze milliards d'années-lumière. Fantastique, non? Ça défie notre entendement (merci de votre esprit de solidarité et demeurons pénards et ébaubis).

On peut facilement comprendre que Temps, lui, ne puisse se souvenir exactement quand cela débuta.

Il y a très longtemps sur Terre.

Ce n'était même pas un concept (le temps) pour Gros Moyon, puisqu'il ignorait ce qu'était un concept. Une journée, Gros Moyon armé de son gourdin marchait dans la forêt, le ventre plus creux que les autres jours. Il remarqua une piste fraîche, ce qui pouvait être celle d'un tyrannosaure nain, nom qu'il ignorait, car pour lui, les êtres vivants se divisaient en deux groupes : les *mangeables* et les non mangeables. Le tyrannosaure nain, pour lui, entrait dans la première catégorie. Il avait adopté la même classification pour les végétaux, bien qu'il les trouvait moins appétissants. Comme il n'avait pas mangé depuis deux jours, et que son estomac hurlait avec insistance « famine », il prit, oh! éclair de génie! un autre point de repère que les branches cassées; elles lui disaient à quel endroit le mangeable était passé, mais pas **quand** il était passé.

Jusqu'à ce jour, pour lui, le Soleil avait deux positions : levée sur un côté et couchée sur l'autre. Gros Moyon observa le Soleil et les branches cassées. Il en fit un rapport avec sa quête, ce qui lui permit d'ajouter un autre repère à la satisfaction de notre ami Temps. Le mangeable a-t-il été mangé? L'histoire ne révèle rien à ce sujet. Considérons seulement que Gros Moyon, son gourdin et le mangeable ont été pour quelque chose dans la découverte de Temps.

Le terme heure n'avait pas encore été inventé à ce moment-là, ce qui n'empêchait pas Temps d'être tiré de ses rêvasseries chaque fois que l'on pensait à lui (on ne pensait pas véritablement à lui, mais plus à des considérations de l'ordre du mangeable). Vous comprendrez que temps est pris ici dans le sens de durée non pas dans le sens de température. Temps avait toujours été agacé par cet avorton d'homonyme à la minuscule première lettre t. Aussi, au début, on pensait à lui de façon sporadique. Temps se sentait interpellé, et s'en trouvait flatté, qu'on le sortît ainsi de sa torpeur sidérale. Puis, on pensait de plus en plus souvent à lui. Était-il pour s'en plaindre? Depuis le temps qu'il n'existait pas, seul dans la vacuité de l'infini. Enfin, exister. De plus en plus souvent, on pensait à lui; rien d'inquiétant, tout au plus flatteur…
Combien de temps prit-on pour mater Temps?

Un peu d'histoire, pas trop. Tout d'abord, le gnomon, simple piquet (ou style) planté verticalement dans le sol. Selon la position du Soleil, il projette une ligne ombragée. L'ombre permet de se situer dans le temps, au jour le jour, grâce à des marques faites sur le sol. L'ancêtre du cadran solaire. Précis? Non. En avait-on besoin? Non. Qui pouvait s'en plaindre? Les suppliciés, oui. Un supplice durait plus longtemps en été qu'en hiver. Toutefois, il en était de même pour une gratification. Temps riait dans sa barbe : être ainsi mesuré! On est tout de même deux mille quatre cents ans av. J.-C. chez le peuple chinois.

Décidément, Temps avait envie de se tenir les côtes. Que la vie est belle! Puis, des trucs tout aussi loufoques les uns que les autres apparurent pour mesurer le temps : la bougie, le sablier et la clepsydre lui menèrent une partie de bras de fer, alors que notre ami Temps baillait d'ennui.

C'était sous-estimer l'adversaire. L'invention et la miniaturisation de l'horloge au quartz firent que des millions de personnes se baladaient avec un bracelet-montre et le consultent à tout propos. Pauvre Temps!

Il en eut plein les bras quand l'horloge atomique fut inventée. Oui, chez les scientifiques, c'est une obsession : au millième du millième de seconde près. Notre ami en perdit le sommeil, jour et nuit ainsi surveillé. Il sentit que le *burn-out* était tout près.
Y a-t-il un psy qui… a le temps?

Bon San Tang, comme tous les jours, prodigue ses traitements d'acupuncture dans ses locaux. Aujourd'hui, il reçoit une magnifique jeune fille, du nom de Sue Haves. Elle est familière avec les lieux, puisqu'elle n'en est pas à son premier traitement avec le thérapeute oriental. En entrant, elle se dirige vers un fauteuil de la salle d'attente et renoue avec l'odeur familière du moxa qui embaume le cabinet. Durant l'attente, elle anticipe les bienfaits du traitement qui lui sera prodigué. Une porte s'ouvre, et apparaît dans l'embrasure de la porte le praticien oriental tout vêtu de vert anthracite :
— Mlle Haves, vous allez?

— Oui, bien merci, Monsieur Tang.
— Si vous vouloir suivre moi.

Il la dirige vers la salle de traitement et se retire après les consignes d'usage. Comme ce n'est pas la première fois qu'elle reçoit des traitements de Bon San Tang, elle sait donc qu'il faut se dévêtir et ne garder que le slip et le soutien-gorge, ce qui ne la gêne nullement. Puis, elle s'étend sur le dos sur la table de traitement et attend le thérapeute oriental. Durant l'attente, elle se laisse bercer par la musique Nouvel Âge, diffusée en sourdine.

Lorsque Bon San Tang revient dans la salle de traitement, il constate qu'elle a suivi ses recommandations. Bien que l'Oriental soit habitué à voir ses patients étendus sur la table, en sous-vêtements, la vue de Sue Haves le trouble toujours! Tout son stoïcisme jaune s'empourpre lorsque ses yeux bridés se posent sur cette magnifique entité. Cela ne dure qu'une fraction de seconde. Et pour lui, quelle fraction de seconde!

Ressaisi, ses esprits revenus, il commence le traitement. Il badigeonne d'alcool les endroits où il va poser les aiguilles. Par délicatesse, au moment de perforer la peau, chaque fois, il la calme avec la ritournelle : « Vous allez? » Au même moment, il donne une petite chiquenaude sur l'aiguille qu'il place dans le derme. Elle connaît le rituel du « Vous allez? » qui lui indique qu'une nouvelle aiguille s'introduit. Une fois l'aiguille insérée, Bon San Tang la manipule en la tournant délicatement avec une pression qui la fait pénétrer plus profondément. Au tour de la prochaine, accompagnée du « Vous allez? » Il ajoute au traitement le point *Xinshu* et le point *Shuigu* (nom et endroit où les aiguilles sont insérées sur le corps). Ce sont les mêmes nouveaux points d'acupuncture qu'il avait pratiqués précédemment sur le compagnon de Sue Haves. Chaque fois qu'il introduit une aiguille au *Sueh* (point d'acupuncture), il sent, et ce, de façon bien évidente la réaction du Qi (prononcez tshi, qui signifie énergie en langue chinoise). Ce qui lui démontre que le courant vient de s'établir. Il le sent se manifester à travers la réaction de l'aiguille. En effet, l'épiderme autour de la tige se colore, et il décèle une légère sensation émanant de sa patiente, ce qui confirme le succès de la puncture (piqûre). Après avoir placé toutes les aiguilles nécessaires au traitement, Bon San Tang se retire et laisse sa patiente seule. Elle relaxe et permet au traitement d'agir.

Revenu à son bureau, il repense au périple du voyage qu'il a effectué en Chine, il y a quelques mois déjà. Il se remémore la rencontre de l'un de ses compatriotes, Hou La. Il revoit la longue expédition à cheval qui l'avait conduit à l'extérieur du petit village où ils s'étaient donné rendez-vous.

Hou La et Bon San Tang correspondaient depuis quelques années; Hou La lui avait décrit un monastère qu'il avait découvert enfoui dans le val d'une montagne. Cela faisait plusieurs années que Bon San Tang voulait prendre des vacances et voir son ami épistolaire. L'idée de cet énigmatique monastère allait ajouter du piquant au voyage. Il se remémore *la* découverte faite après une longue randonnée à cheval pour s'y rendre, les difficultés à gravir les pentes abruptes de la montagne, la chaleur humide de la forêt et en même temps l'excitation que cela lui avait procurée. Il jubile encore d'avoir vu apparaître intacte, dans ce lieu sacré, une jarre scellée contenant de vieux parchemins datant de l'époque de Tang, sous le règne de l'impératrice Wu Zetian, femme de Gaozong, 675 apr. J.-C.

Il ressent encore, comme s'il y était, l'odeur de l'humidité moisie du vieux temple. Il refait mentalement les gestes de l'ouverture de la jarre. Ses yeux expriment le même ébahissement qu'il eut en découvrant les rouleaux ayant appartenu au fameux traité Qianjinfang (les mille recettes de grand prix) découvert par Sun Simiao de l'Empire nippon.

Aujourd'hui, il répète pour la deuxième fois, l'une « des mille recettes » sur Sue Haves.

> … La notion de temps semble également
> étroitement liée à celle de variation :
> il faut au moins un changement d'état
> pour rendre perceptible un écoulement
> de temps, la notion de temps paraissant
> exclue d'un univers totalement
> statique…

Au coin de rue, 10 heures 10, Québec, Canada.

À Sainte-Agathe-des-Monts, le soleil filtre à travers l'écran multicolore de la frondaison automnale des érables.

Sue Haves, après son traitement avec Bon San Tang, se déplace gracile sur le trottoir en direction de son amoureux : Sissy Phasolle. Lui, d'un pas léger, vient à sa rencontre. Elle l'aperçoit. Un sourire radieux s'assoit à califourchon sur ses lèvres et découvre ses dents blanches, d'un blanc nacré qui n'appartient qu'à elle. Ses yeux amoureux, couleur noisette, s'installent douillettement dans le lit de ceux de Sissy Phasolle comme si deux pierres précieuses s'étaient posées et s'étaient fondues à leur seul et unique écrin, l'écrin amoureux des yeux de son amoureux.

À partir de ce moment, le temps commence, doucement, dans un long decrescendo, à se diluer… à s'évanouir dans un tic tac inaudible.

Rendu tout près d'elle, il l'enlace tendrement; elle l'imite en se blottissant contre son corps. Les lèvres de Sissy Phasolle se posent, comme un rayon chaud du soleil, sur celles de Sue Haves; celles de Sue Haves se dorent sur celles de son amoureux, naturellement, comme si elles n'avaient été créées que pour ce moment, ce moment unique, ce moment amoureux. Un baiser sensuel, pas un baiser qui prélude aux élans sexuels. Non. Un moment amoureux d'une douceur comparable au glissement d'une sterne dans le bleu du ciel, où il n'existe que cette sensation : ses lèvres effleurant les siennes. Tous les sens de Sissy Phasolle s'enivrent en sentant son parfum, unique. Il ne pouvait le humer que dans ces moments tellement délicats, le nez collé contre sa joue. *Grenouille*[1] aurait été jaloux de ce senti. Les bras de l'amoureux s'imprègnent de ses courbes, courbes qu'il connaît de tout son cœur. Son souffle chaud s'installe. Leur rythme cardiaque s'accordent à l'unisson, comme s'il n'y avait qu'un cœur, un cœur qui bat pour eux deux. Leur corps, qui occupent l'espace de façon harmonieuse, se confondent pour devenir un seul corps, qui occupe un seul espace, le leur.

---

[1] Personnage de Patrick Süskind dans *Le Parfum*

... UNE DES PROPRIÉTÉS FONDAMENTALES DU TEMPS, TEL QUE NOUS LE PERCEVONS, EST SON IRRÉVERSIBILITÉ... ON NE PEUT JAMAIS RECOMMENCER LA MESURE DE LA DURÉE D'UN PHÉNOMÈNE DONNÉ...

Au même moment sur quelques fuseaux horaires.

16 heures 10. Pas très loin.

Mme Beaumont, femme de M. Beaumont, place sur le réchaud le faitout plein d'eau et tourne le gaz au maximum. Son regard se dirige à l'extérieur, par la fenêtre de la cuisine. Elle se grise, comme tous les jours, de l'immensité odoriférante du champ bleu de lavande, traversé par la voie ferrée du TGV. Il passe près de sa maison. Le bucolique espace violet la charme, comme tous les jours, par ses odeurs et ses couleurs.

16 heures 11.

Ding, ding, ding. La barrière au passage à niveau près de chez elle s'abaisse. Comme à l'accoutumée, le passage du train à grande vitesse fait trembloter la petite maison. Ce désagrément est compensé par la virevolte des odeurs du champ.

L'épouse dépose amoureusement d'un geste routinier les trois œufs pour son mari, dans l'eau bouillante du faitout. Dans l'attente qu'ils soient à point, elle se place dans l'embrasure de la porte et dorlote du regard M. Beaumont plongé dans *sa* lecture quotidienne du *Figaro*. Mme Beaumont supervise la pérennité de ce rituel immuable, car il faut dire que son mari souffre de trouble obsessionnel compulsif (TOC). L'immuable routine de leur après-midi le sécurise.

Tout se déroule comme prévu aujourd'hui...

16 heures 10.

Elle consulte l'horloge au mur. « C'est quand même étrange cette sensation que le temps de cuisson ait été plus long que d'habitude. Il faut que je fasse vérifier cette horloge », se dit-elle. L'amoureuse épouse retourne, troublée, à la cuisinière et retire les œufs. Elle attend un peu pour qu'ils tiédissent. Elle casse l'extrémité pointue de la coquille, sale et poivre. Elle pose les coquilles éventrées sur leur socle respectif et les sert à son époux.

— Tes œufs sont prêts, mon chéri.
Sans lever les yeux du *Figaro*.
— Ah! Merci, mon amour.
M. Beaumont plonge la cuillère distraitement dans l'œuf; il est dur, elle ne pénètre pas comme à l'accoutumée dans le jaune onctueux. Les œufs auraient dû présenter un jaune liquide et un blanc moelleux. À la vue de ce fiasco, l'époux entre en crise. Celle-ci se manifeste principalement par des cris et des hurlements. M. Beaumont, en nage, se tient la tête à deux mains et tourne en rond, à grandes enjambées, autour de la table de cuisine. Tout son univers ordonné s'écroule comme un château de cartes.

L'épouse bienveillante garde son calme; il ne reste plus qu'à faire intervenir les secours qui interneront, encore une fois, M. Beaumont.

Comme l'internement se déroule toujours et invariablement de la même façon, cela devrait calmer M. Beaumont et faire en sorte qu'il soit de retour avec Mme Beaumont dans un court laps de temps. Pendant que l'ambulance conduit son mari aux soins appropriés, elle raisonne dans son for intérieur : « Bonne Mèèèrre… Pourrtangne le TGV, il est à l'heure, non? Si l'on ne peut plus se fier au TGV, bonne mèèère, sur qui alors? »

15 heures 10. Presque tout près.

Près d'une maison cossue du quartier de Chelsea, le trio immobile, formé de Jake, Ian, et James, transi par le froid anglo-saxon, trépigne d'impatience de passer à l'action. Ils partagent, tous les trois, un point en commun : celui d'inscrire la même heure à la naissance, d'avoir des mères différentes et être nés prématurés. À leur naissance, nos trois lascars réalisaient ainsi leur premier vol : voler du temps à leur propre temps de gestation.

Leur plan est simple : à partir d'informations confirmées, ils savent que couper la ligne téléphonique à 15 heures 11 court-circuite tout le système de sécurité de la propriété. Cela leur permet d'entrer dans la maison incognito. De plus, la résidence est déserte. Les propriétaires et leur personnel ont déménagé leurs pénates sur la côte française, question de prendre du bon temps et d'améliorer leur *tan*. Le reste est un jeu d'enfant pour les trois gredins, nés maîtres ès du cambriolage.

Jake est perché dans le poteau et patiente, cisailles à la main, prêt à faire de la dentelle avec le fil téléphonique. Du haut de son perchoir, il attend le signal de James pour entrer en action. James ne court pas de risque. Plutôt que de consulter l'heure sur sa montre, une Rolex d'une grande valeur, volée, évidemment, il préfère regarder l'heure sur son portable : technologie oblige. Tout en surveillant l'appareil, il jongle avec l'idée que « le portable va *sonner* la disparition des bracelets-montres et qu'elles ne seront plus, bientôt, qu'objets décoratifs ». Quant à Ian, il a tout le matériel chargé sur ses épaules et est prêt à entrer en scène. Son équipement est constitué de pinces à crocheter les serrures, de gadgets *high-tech* pour éventrer le coffre-fort et de sacs pour transporter leur butin.

15 heures 11. Action.

James émerge de ses considérations sur la disparition des bracelets-montres et signale à Jake que c'est le moment d'agir. Jake coupe le fil. Mû comme par un ressort en mode détente, James sort de son immobilité pour se ruer vers la chic demeure; Ian le suit. Si tôt rendu au portail d'entrée, James crochète la serrure qui cède facilement à son expérience. L'ouverture de la porte provoque les hurlements du système d'alarme et toutes les lumières de sécurité s'affolent et perturbent la quiétude de la propriété. Leur sang se glace à l'arrivée de la meute de chiens de garde qui se rue à quatre pattes motrices. Ils sont cernés : aucune issue possible. Ça sent le roussi! Le hurlement des sirènes des autos-patrouilles confirme leur éventuel retour en prison. James et Ian, figés sur place, se regardent incrédules. Jake, lui, commence à se faire à l'idée que ses cisailles vont faire de la dentelle… derrière les barreaux.

Durant le trajet, dans le fourgon cellulaire, ils ont tout à loisir de tenter de comprendre ce qui s'est passé. James s'adresse à Ian :

— T'es sûr des renseignements qu'on t'a fournis?

— Ben sûr James, on a tout vérifié, té au courant, non?

— Oui, pourtant…

Jake:

— Tu m'as fait le signal à la bonne heure, James?

— Biiin sûr, je n'ai même pas pris de chance, j'ai regardé l'heure sur mon portable.

Et les trois, en chœur, de réfléchir : « C'est quoi le problème, un carton en or. Super facile, la routine quoi. » La prison est un lieu propice pour la méditation.

23 heures 10. Beaucoup plus loin.

Chez Dhou Métal inc. (DMI), il y a de la nervosité dans l'air en plus du bruit assourdissant des machines. Les effluves de métaux et de produits chimiques saturent l'atmosphère chaude et humide de l'Orient à l'intérieur de l'usine. Ici, on est loin des odeurs subtiles de l'encens et du thé. C'est dans ce cloaque sidérurgique que tous les ouvriers, concentrés à leurs tâches, besognent.

En trimant, ils se disent : « La commande est importante et il y va de la survie de ma famille. »

Le contremaître et ingénieur, Ging Sheng, surveille attentivement les préparatifs en vue d'une ionisation de batteries de cuisine qui doivent prendre la route des Zétazunies. Cette commande est l'une des plus lucratives reçues du géant Zaméricain, Kitchen Pots inc. (AKPI), le plus gros détaillant d'articles culinaires d'Amérique du Nord.

Cette ionisation va sceller une entente entre les éventuels associés. Une clause du contrat assujettit Dhou Métal inc. (DMI), à un travail de qualité, ce qui l'oblige à un rendu impeccable. Le patron de la firme, Chou Dhou, est très nerveux. Les yeux impatients du chef de l'entreprise alternent continuellement d'une opération à l'autre à travers les volutes de fumée inquiètes de sa cigarette qui lui pend au bec. Après tout, n'y va-t-il pas de la survie de sa société? Les énormes investissements qu'il a faits en vue de l'obtention de ce contrat accroissent son stress. Il se tient à côté de Ging Sheng. Robert Check les accompagne; il représente le service du contrôle de la qualité d'AKPI.

Pour que l'inox des pièces des batteries de cuisine soit de qualité supérieure, Dhou a tout modernisé l'usine. Il a fait installer l'alimentation en électricité la plus sécuritaire et la plus sûre au pays. Comme l'approvisionnement en électricité est défaillant dans la région, les fonctionnaires de l'électricité reçurent la visite de Dhou. Après avoir fait parler son porte-yuan, le patron s'assure ainsi que Dhou Métal pourra obtenir tout le courant électrique voulu.

Toutes les pièces de la première livraison (la livraison test) trempent dans les bains prévus à cet effet depuis cinq minutes et à 23 heures 10, l'ionisation devra commencer et durer deux minutes. Pour cette première, le grand patron, Dhou en personne, supervise les opérations.

23 heures 11.

Dhou fait signe à Sheng qui abaisse la manette appropriée et les électrodes entrent en action. Dhou consulte sa montre, une ostentatoire Piaget réputée pour sa précision, et indique au contremaitre de stopper le processus. Le patron en tête, sûr de lui, ouvre fièrement la marche; il est suivi de l'inquisiteur occidental qui traîne Sheng dans son sillage. Le trio marche à grands pas vers la large cuve d'ionisation. Au regard de son supérieur, Sheng appuie sur un bouton qui permet de retirer la première livraison du prometteur bassin. Dhou, devant le représentant d'AKPI, se bombe le torse, car il est certain de l'excellence de son travail. Après tout, vérifications sur vérifications n'ont-elles pas été faites? La livraison accrochée sur un rail sort du bassin et se balance en direction du séchoir. Dhou et le vérificateur s'installent à la sortie de l'étuve, anxieux des conclusions qui vont unir leur partenariat d'affaires. Ils sont aux premières loges pour contempler la pureté de la première cuvée. Consternation. L'apparition des premières pièces confirme la piètre qualité du résultat. Bleuissement à certains endroits, craquelures à d'autres. Check refuse catégoriquement toutes ces pièces.

Dhou est atterré et noiera sa déconfiture dans le baijiu (alcool) en tentant de répondre à l'obsessionnelle question : pourquoi? N'a-t-il pas tout chronométré à la seconde près? Sheng, dépassé par les événements, vivra de l'air du temps comme balayeur instruit.

00 heure 10. Près de beaucoup plus loin.

Au dojo Khâ Khan, l'élite des arts martiaux s'impatiente dans l'attente du dénouement de cette interminable journée. En effet, ce soir aura lieu la plus grande rencontre entre ceintures noires. Nous sommes en finale et un combat, l'ultime, doit déterminer la suprématie d'une école de karaté dans l'Empire du soleil levant.

Le jeune et talentueux karatéka Khâ Dai, reconnu pour sa vitesse d'exécution et ses talents acrobatiques, porte les couleurs du dojo Lao Zieu. Khâ Dai, gorgé d'adrénaline, présente sa première prestation en finale de ce prestigieux combat. Représentant le dojo Khâ Khan, le maître, vieillissant, Lha Yeul, est réputé pour son sens de l'anticipation et ses techniques imparables. Il n'en est pas à sa première rencontre : une simple formalité pour lui.

Les représentants de chacun des dojos qui s'affrontent sont supportés par leurs élèves. Ils sont assis par terre immobile comme des statues de chaque côté du tatami. Aux quatre coins du tatami, assis sur leur chaise, les assistants juges tiennent deux drapeaux, un rouge et un blanc, un dans chaque main. Ces fanions indiquent lequel des antagonistes marque le point durant l'affrontement. Le juge se tient au centre du tatami.

Cette rencontre est très particulière, car le dojo qui remportera la compétition sera considéré dans le monde du karaté comme la meilleure école d'art martial. La victoire fera rejaillir sur le dojo honneur, fierté et renommée.

L'arbitre s'installe au centre du tatami et fait signe aux adversaires de se présenter. On est au septième affrontement, aucun point n'a été marqué dans les joutes précédentes. Les opposants ressentent la fatigue et cet ultime combat est déterminant. Maintenant, les protagonistes se connaissent bien. Chaque rencontre dure 3 minutes. Pour le jeune aspirant, la stratégie est simple : clore la rencontre au plus vite et surtout ne pas se rendre à la limite; pour le vétéran, faire durer la rencontre et éviter tous les assauts du prétendant. Le doyen est également conscient qu'en cas de rencontre nulle, il sera déclaré vainqueur, puisque c'est lui le champion en titre.

00 heure 11.

Le juge en chef du tatami enjoint les adversaires par un bref coup de sifflet et un signe de main à engager le combat. C'est Khâ Dai qui, par une série de katas, tente de marquer un point. Lha Yeul, grâce à son expérience, évite toutes les attaques du prétendant au titre. Depuis qu'il pratique cette discipline, Lha Yeul connaît mentalement la durée de la rencontre : 3 minutes. Deux minutes trente se sont écoulées sans qu'aucun des protagonistes ait réussi à faire lever un fanion à sa couleur par les quatre juges de coin. Lha Yeul ressent bien à l'intérieur de lui qu'il conservera son titre de champion puisqu'il ne lui reste que quelque trente secondes à faire. Maintenant, il espère que l'arbitre sifflera pour marquer la fin du combat : rien ne se passe. Il est fatigué, possiblement une mauvaise appréciation du temps de sa part. Il est conscient que ses mouvements ralentissent et pourtant l'officiel ne met toujours pas un terme à la rencontre. L'aspirant en profite. Après une feinte du pied droit, un kizami mae-geri, il enchaîne au visage avec un oi-zuki jodan et conclut, sans que Lha Yeul puisse le parer, avec un gyaku-zuki au sternum. En plaquant son coup victorieux, Khâ Dai pousse son plus convaincant Qi Hai (cri) vainqueur. Étant occupé à ferrailler avec le jeune prétendant, Lha Yeul ne peut prévenir les juges de coin que le temps limite est dépassé. Aussi, les quatre juges de coin donnent le point à l'aspirant.

L'arbitre ordonne aux adversaires de reprendre le combat. Le vétéran le regarde incrédule. Dans sa tête, cela fait plus de cinq minutes qu'il est sur le tatami. Les virevoltes du jeune karatéka enlèvent à Lha Yeul toute possibilité de marquer un point.

Un coup de sifflet de l'arbitre et le combat prend fin. L'arbitre invite les adversaires à se saluer. Ce qu'ils font : légère inflexion du tronc, ils se serrent la main poliment et Khâ Dai rayonne de sa juvénile fierté et regagne les siens qui le félicitent. L'ex-champion, lui, se dirige vers la table des officiels, l'arbitre vient le rejoindre, et il demande des explications sur la durée de la dernière rencontre. Tous les juges comparent leur montre et tous ont le même temps indiqué à leur montre. Le vétéran, consterné, pense qu'il y a eu dépassement de temps. Il se retourne vers les siens, atterré, et ressent un coup de vieux. Dans son camp, tous le supportent poliment pendant qu'il rumine : qu'est-il arrivé avec le temps? Il sent la retraite vouloir devenir son plus grand ami.

...ON CONÇOIT AISÉMENT QUE LA NOTION DE TEMPS, SI DIFFICILE À CERNER, VARIE EN FONCTION DES POINTS DE VUE THÉORIQUES ADOPTÉS. LE TEMPS ABSOLU DE LA MÉCANIQUE CLASSIQUE, INDÉPENDANT DU RÉFÉRENTIEL, DOIT ÊTRE ABANDONNÉ DANS LES THÉORIES RELATIVISTES...

De cause à effet.

Temps comprit vite ce qui se passait. Les baisers de Sue et Sissy déclenchent l'arrêt des bidules qui avaient été conçus depuis quelques millénaires pour le surveiller. Il sentit qu'il pouvait faire relâche, car rien ne fonctionnait plus sur la planète pour mesurer le temps. L'intervalle d'un moment amoureux, une éternité pour Temps, lui, qui était contrôlé au millième de millième de seconde. Temps pouvait se reposer durant ces moments, il l'avait bien mérité, puisque depuis l'horloge atomique, il n'avait pu. Il était surveillé à la nanoseconde (quelque chose comme au milliardième de seconde; seulement commencer à y penser et quelques millions de ces nanosecondes auront défilé). Aucun, aucun, aucun répit. Les horloges atomiques le tiennent en laisse sauf quand ces deux-là... s'embrassent.

Lorsqu'ils séparèrent leurs lèvres, Sissy Phasolle se sentit comme Roger Rabbit dans la fameuse scène où Jessyca Rabbit l'embrasse : des pings, des bings, des wows, comme un feu d'artifice de cœur de toutes les couleurs qui rebondit sur toutes les façades des maisons environnantes.

Une corneille sur un lampadaire, perchée, regarde la scène emplie de ravissement.

Après le baiser, Temps reprit à contrecœur son inlassable tâche à la nanoseconde. Au pas camarade, la marche du temps poursuit son inlassable course. Un si beau baiser. Temps, comblé de gratitude pour ce répit, fut envahi d'un brin de jalousie.

15 heures 10 à l'UTL.

Greenwich, à *l'Universel Time Laboratory* (UTL), siège de
l'horloge atomique, un clignotant rouge qui n'avait jamais
fonctionné s'allume. Assis à son bureau, le professeur Rick
Mc Gale, un scientifique et pas n'importe lequel, une sommité,
complète des rapports. Le professeur Mc Gale a deux passions
dans la vie : battre le temps musical 1, 2, 3, 4 et 1 et calculer le
temps universel : tic tac, tic tac. Bref, compter le temps était aussi
essentiel, pour lui, que son cœur de battre *a tempo*.

Dans ses moments libres, il s'échine à construire un modèle de
mesure musical qui reposerait sur une échelle basée sur dix au lieu
de 4/4, 6/8, 7/8. Découvrir ce modèle de mesure du tempo, selon
lui, lui permettrait de compléter ce que le grand Burattini, avait mis
au point : le mètre, le kilomètre, le gramme, le kilogramme, ainsi
de suite. Il ne manquait que la mesure décimale pour le rythme
musical. Bien qu'anglophone, il comprend que le système de
mesures français est supérieur à celui des Anglo-saxons, représenté
par le pied, le pouce, l'once, la pinte, etc.

Jamais, l'UTL n'avait eu dans ses rangs un professeur aussi coloré :
grand, le front légèrement dégarni, cheveux longs, incultes, couleur
poivre et sel. La barbe moyenne, entretenue, s'agence avec la
couleur de ses cheveux. Toujours en jeans, *look country* oblige,
puisque notre homme est résolument country dans le cœur. Comme
il aime la musique, il a toujours une guitare à portée de la main, et
pas n'importe laquelle : une Norman.

Ce qui frappe de prime abord chez Rick Mc Gale, c'est son rire
communicatif accompagné d'un incroyable sourire charmeur. Si le
professeur a quelque chose à énoncer, soyez assuré qu'il le fera
indubitablement en pourcentage. Mc Gale, ce jour-là, est assis à
son bureau et joue une de ses compositions « Tam di di dam ». Il
s'accompagne à la guitare tout en compulsant des rapports. Faire
deux choses en même temps est, pour lui, tout aussi naturel que
pour vous et moi de respirer.

Le patron fut déconcentré par l'un de ses assistants : Peter (qui sait qu'il ne faut pas déranger le *big boss* Mc Gale):
— Professeur, professeur, l'horloge atomique…
— Oui Peter.
— Elle a un problème professeur…

Mc Gale sur un air laconique le toise du regard, qu'il accompagne d'un sourire plus sardonique que charmeur. Il lui fait une moue signifiant zéro pour cent de possibilité que cela se produise.
— Mais professeur, le clignotant rouge de dérèglement s'est allumé sur l'horloge.
— …
Peter poursuit en implorant :
— Comprenez-moi professeur…
Et en détachant les mots :
— La lumière… indique… un… arrêt de l'horloge atomique professeur.
Le directeur voulait en finir au plus tôt et retourner à ses tâches mélodiquement rêveuses.
— Bien j'arrive, dit-il en posant sa guitare Norman sur le trépied prévu à cet effet près de son bureau.
Pourtant, depuis le temps qu'il travaille à l'UTL, le professeur sait que rien n'arrive sinon que ce qui a été prévu. Même pas un doute n'effleure l'esprit de Mc Gale alors qu'il suit son assistant dans les dédales de corridors menant à « Timette », la gardienne du temps de la prestigieuse institution.

Sympathique comme nom d'horloge atomique : Timette. Elle est d'une redoutable efficacité et surtout une formidable besogneuse qui accomplit son boulot de façon implacable : tenir la laisse du temps et la tenir d'une poigne ferme.

Arrivés devant l'immense tableau de contrôle de Timette, le témoin lumineux rouge annonce un signe d'un dérèglement, d'un temps mort de Timette, une interruption pourtant impossible.

Et maintenant, surprise, le voyant s'éteint. Timette besogne à nouveau. Durée de l'arrêt : une minute, douze secondes, trente-six millisecondes, cent soixante nanosecondes.

À présent que Mc Gale a constaté la défaillance de Timette, Peter ajoute :
— Je dois vous aviser également que tout le système informatique est hors fonction.
— Hors fonction?
— Oui, il nous a fallu tout redémarrer.
— Et c'est reparti?
— Oui, maintenant tout roule.

Le professeur Mc Gale, un homme tout de même pratique, demande presto une équipe de techniciens spécialisés pour comprendre ce qui se passe. Il ordonne à tout son personnel un mutisme absolu sur l'événement. Si Timette a des failles, il pouvait dire adieu à son poste et il serait la risée de ses collègues. Pas facile d'afficher le rôle d'un marginal country dans un établissement si conservateur, surtout auprès de collaborateurs aussi traditionnels. Le moindre faux pas et il ne compterait plus que 1, 2, 3, 4 et 1…

Bien que tous les pays développés possèdent une horloge atomique, Timette était la plus prestigieuse, pas seulement à cause de sa position géographique et historique, mais parce que Greenwich est le point de repère du temps universel (TU).

Cet arrêt lui donna l'occasion de parler avec ses collègues extérieurs.

Viktor Krimminski de Moscou reçut le premier coup de fil. C'était normal puisqu'ils s'étaient connus durant leurs années de formation scientifique. Ils s'étaient liés d'amitié assez facilement; en effet, tous les deux partageaient un penchant pour la dipsomanie et dans leur cas, la dipsomanie s'écrit Moskaskaya.
— Viktor, ici Rick Mc Gale, comment allez-vous?
— Excellent! Et vous kamarrrade Rick?

— Bien Viktor, mais actuellement, j'ai quelques ajustements techniques à faire, pourrions-nous synchroniser nos horloges?

« Était-ce un piège? Non, pas mon ami Rick faire ça à moi », s'interroge par réflexe Viktor. Comment pouvait-il savoir que son horloge venait de connaître pour la première fois, une interruption?

— Écoutez Rick, moi être franc avec vous. Curieux, vous demandez à moi synkrroniser horloge. Moi, allait appeler vous pour demander même chose.

— !

— Quelle heure horloge à vous, kapout? demande Victor.

— Trois heures, 10 minutes, une seconde et 24 millisecondes, heure de Londres pour une durée d'arrêt d'une minute, douze secondes, trente-six millisecondes, cent soixante nanosecondes.

— Moi, être honnête avec kamarrrade Rick, horloge ici arrêtée même moment, heure de Moscou, pour même durée.

— Je vous rappelle aussitôt que j'ai plus de détails. De votre côté, pourriez-vous me tenir au courant de tout nouveau développement?

— Yavoul, camarade, moi communiqué avec camarade Rick si nouveau développement. Quand ami Rick venir goûter vodka russe?

— Bientôt, mon cher Viktor, aussitôt que j'aurai résolu le problème actuel. On garde le contact Viktor?

— Aussi tôt nouveau, Viktor appeler camarade Rick.

— Je vais faire de même. Merci, et à bientôt Viktor.

Viktor ne parle pas de l'arrêt de son système informatique : de la quincaillerie interne.

> …UNE BONNE ÉCHELLE DE TEMPS DOIT
> POSSÉDER CERTAINES PROPRIÉTÉS, TELLES
> QUE L'UNIFORMITÉ… LA PÉRENNITÉ…
> L'UNIVERSALITÉ… LA FIABILITÉ… ET LA
> PRÉCISION…

Un temps mort.

Cinq heures quarante-six et quelques… À Sainte-Agathe-des-Monts, Sue Haves et Sissy Phasolle se rendent dans l'endroit de leur intimité, referment la porte, s'enlacent le plus naturellement du monde. Ils s'embrassent passionnément et laissent la nature s'exprimer… amoureusement. Temps en profite pour se reposer à nouveau, c'est qu'il devait être bien fatigué, depuis presque la nuit des temps, sans relâche. Il ne se fit pas prier : relâche. Basta[2] Timette et sa meute de compteurs enragés.

Dans le cas présent, c'est plus sérieux, il ne s'agit pas d'un arrêt d'une minute ou deux.

À L'UTL. « Professeur, l'horloge connaît de nouvelles anomalies », insiste Peter, cette fois-ci plus sûr de lui. Mc Gale et Peter partent en trombe vers le panneau de contrôle où la lumière rouge clignote triomphalement son existence cinabre. Nouvelle grève de Timette. Nouveau plantage du système informatique.

À son bureau, la sonnerie de téléphone de Mc Gale ne dérougit pas. Le professeur Mc Gale comprend à l'insistance de celle-ci que toutes les horloges de la planète connaissent de nouvelles perturbations. Ce qui fut confirmé par son équipe. Cette fois-ci, rien ne redémarre. Toutes les horloges au mur qui indiquent l'heure de tous les pays restent sans mouvement, figées dans leur boîtier. Aucune aiguille, aucune trotteuse ne bougent. Mc Gale dans un geste automatique consulte sa montre au poignet, une Bugatti de grande précision : elle ne fonctionne pas plus que les autres.
— Peter, votre montre fonctionne-t-elle?
Peter consulte la montre.

---

[2] Ça suffit! Assez!

— Non, professeur, ajoute-t-il estomaqué.

— Peter, je retourne à mon bureau. Appelez-moi s'il y a du changement.

— Bien professeur.

Revenu à son bureau, Mc Gale prend rendez-vous avec le HMSS (*Her Majesty Secret Service*), la plus haute instance au pays en matière de complot international. Oui, le même endroit où James Bond avait évolué, ou évolue encore, allez savoir.

Dans les Laurentides, après un moment délicieusement amoureux, elle dut repartir. Il fut difficile de quitter la magie du regard noisette des yeux de Sissy Phasolle. Tout aussi ardu de séparer leur corps et de les remettre chacun dans leur espace propre, de leur faire deux espaces bien à eux, alors qu'il n'en faisait qu'un, de leur permettre de reprendre chacun le rythme cardiaque qui leur était propre.

UTL. Peter au téléphone :

— Professeur, tout est reparti, tout fonctionne à nouveau professeur.

— Merci Peter.

— En disant cela, il regarde sa montre et la trotteuse besogne à nouveau.

— Peter, est-ce que votre montre fonctionne?

— Oui professeur.

— Merci Peter, prévenez-moi de tout changement.

— Bien professeur.

Pendant ce temps, sur la planète, les baisers de S & S (Sue et Sissy) provoquent des perturbations qui produisent des conséquences fâcheuses. Comme tous les systèmes informatiques dépendent de leur horloge interne pour fonctionner, quand cette horloge s'arrête, l'appareil perd la *tête*, et n'affiche même pas un message pour prévenir l'usager. Toutes les activités humaines qui sont en relation avec l'ordinateur s'en trouvent perturbées!

Il faut également considérer que le soleil se couchera plus tard qu'à l'heure prévue, ou il se lèvera en avance si cet arrêt a lieu la nuit. Plus ce phénomène se répétera, plus le lever et le coucher seront décalés par rapport aux heures prévues. Les parents se plaindront sûrement de ces arrêts : hop les enfants, au lit plus tard. Il en sera de même pour le lever. Une minute ou deux passent toujours, mais une heure et quarante de temps manquant, c'est vraiment la confusion la plus totale sur la planète.

Voulant goûter le plus de moments en sa compagnie, Sissy reconduit Sue jusqu'au coin de la rue et avant de la regarder partir, il l'embrasse amoureusement une autre fois.

Sur l'autre coin de rue, en diagonale, le professeur Mibevre, avec son portable, converse avec un de ses collègues. Son interlocuteur et lui discutent des derniers arrêts des horloges atomiques. Tout en parlant, il remarque le couple qui se rapproche l'un de l'autre. Jusque-là rien d'anormal pour lui, mais au moment où leurs lèvres se touchent, son confrère clame :
— Professeur, les horloges viennent de s'arrêter.
— Mibevre, sans lâcher son portable, regarde sa montre et constate qu'elle est figée, exactement au moment où le couple avait commencé à s'embrasser. Et au moment où les amoureux séparent leurs lèvres…
— Professeur! les horloges viennent de repartir…

Temps sait que la pause est terminée et marque la fin de la récréation : pas métro, boulot, pas dodo.

Le professeur Mibevre, scientifique réputé surtout pour les liens inusités qu'il avait su établir. Liens qui avaient provoqué un sourire dans toute la communauté scientifique. Il avait réussi à mettre en exergue le battement d'ailes des criquets et le temps. Selon le professeur, le battement d'ailes des criquets est aussi efficace pour garder la mesure du temps que les horloges atomiques. Ses confrères avaient bien souri au début, mais la profondeur et la rigueur de ses analyses les avaient fait danser.

Le spectacle des deux amoureux du coin de la rue déclenche chez lui une agitation synaptique sans précédent (sauf dans le cas des criquets), cela l'entraîne à échafauder une nouvelle théorie sur les baisers et leurs effets sur l'espace-temps d'Einstein.

Mibevre se demande : se peut-il que deux personnes, dans une étreinte, puissent échapper au temps, et que le temps puisse en être affecté? Il confirme son hypothèse en s'appuyant sur l'apophtegme : « Ne dit-on pas que les amoureux sont seuls au monde, qu'ils échappent au temps? » Qu'ont-ils de différent ces amoureux-ci? Ha ! Ha !...Les synapses en ébullition de Mibevre le transportent au zénith de la réflexion active.

Pendant ce temps, à Londres, au HMSS, tous les services de renseignements se concertent sur la meilleure façon de contrer ce prétendu acte terroriste. Le cinquième bureau, le NSA, le quai d'Orsay, le Mossad, le KGB tergiversent sur ce fléau qui s'abat sur la planète. Ils savent que le genre humain, principalement l'armée, ne peut fonctionner sans un temps consensuel. Qui peut bien troubler les horloges et à quel dessein? Et surtout comment s'y prennent-ils? La science était-elle victime d'une nouvelle menace?

Dans les Laurentides, le professeur Mibevre, pas très haut en stature, ne passe pas inaperçu quand il sort la tête : calvitie avancée, le reste de ses cheveux épars, attachés en queue de cheval, plutôt couleur claire que foncée. Pour compléter le visuel intello, il porte des lunettes rondes cerclées de métal à la John Lennon.

À la suite de la vision des amoureux, il décide de rentrer chez lui. Il pose son manteau de cuir, genre motard, à la place que ledit manteau doit occuper. Le geste est automatique, puisqu'il n'était pas réellement présent et que toutes les synapses « affichent complet ». Il est plutôt absorbé par cette étrange relation qui obnubile son esprit : si deux personnes échappent au temps, quel effet cela a-t-il sur le continuum temps? Le continuum temps peut-il être déformé… ça n'a pas de sens… pourtant… Bien calé dans son fauteuil, il poursuit sa réflexion : et si Einstein s'était trompé? Ce baiser hors temps représente-t-il la solution qu'Einstein avait constamment cherchée? L'explication qui lui permettait d'unifier sa théorie à celle de la relativité générale? Ha, ha!... Toujours bien enfoncé dans son fauteuil, il considère qu'il est scientifiquement admis qu'il manque un élément qui expliquerait tout. Si ces deux personnes échappent au temps, où se trouvent-elles? Dans l'espace et non dans le temps, pourtant l'espace et le temps ne peuvent être séparés... Y aurait-il une autre dimension pour accueillir le temps amoureux?

Il déplace ses fesses sur le coussin du fauteuil et continue à cogiter. Ce temps amoureux unifierait-il la théorie de la relativité? Et comme cela arrivait souvent, il tombe à nouveau dans une errance intellectuelle sans précédent. Après tout, ce n'est pas tous les jours que l'on surfe sur une aporie. Cet état, il ne l'avait connu qu'une seule fois dans sa vie, lors de sa Grande Découverte : le battement d'ailes des criquets et le temps.

Toujours lové dans l'unique meuble du salon, il se remémore sa grande découverte.

Fraîchement émoulu de l'Université du Québec en science physique de la biologie, il passait, à ce moment, le plus clair de son temps à s'intéresser à des problèmes plus terre-à-terre : trouver la-plus-belle-fille dans les bars de la rue Saint-Denis. Son autre passion : étudier la physique biologique dans tous les prés en bordure de la route où sa vieille Volkswagen le laisse et tombe en panne.

Un jour, sans une-plus-belle-fille avec lui et de connivence forcée avec sa Volks, qui lui fait subir une panne sur un bord de route entre Val-d'Or et Montréal, il entend un criquet battre des ailes. Ces vibrations inespérées se présentent au moment où il est étendu dans le bas-côté de la chaussée dans l'attente d'un éventuel bon samaritain. Comme il est seul dans la nature boréale, qu'Éole retient ses frissons, il éprouve l'impression de recevoir des kilowatts de décibels de stridulations de l'acridien, stridulations qui lui saturent le cerveau... déjà imprégné de substance... Il ressent la même sensation que celle de se trouver à un concert Hard Rock, collé sur les caisses de son à la première rangée et d'écouter l'artiste orthoptère exécuter une performance inoubliable.

Ce concert champêtre permit à Mibevre d'identifier, dans le battement des ailes du criquet, la fréquence identique à celle du quartz. Un grand moment universel dans l'excitation neuronale sous-crânienne. Une fois que la Volkswagen fut en état de rouler, et de retour à Sainte-Agathe-des-Monts, il s'enferma dans son labo. Ce fut une quête sans relâche que de réunir les appareils nécessaires et surtout de trouver des orthoptères en abondance. Puis un beau matin, Euréka! « Chers confrères, La preuve! Les criquets mesurent le temps d'une façon aussi précise que le quartz… Ha ! Ha !...»

La communauté scientifique en était restée pantoise. Évidemment, cette importante découverte n'apportait rien du côté pratique, mais, selon lui, une relation entre le minéral, le biologique et le cognitif venait de se révéler. Toujours d'après lui, c'était un premier pas vers la compréhension de cette grande gibelotte universelle. Grande gibelotte qui pouvait maintenant prendre forme, par une formule d'une équation à trois inconnus :

$$GU = V + M + A$$

GU = Gibelotte universelle, V = Vie biologique, M = minéraux, A = amour.

Pour lui, un pan de l'incommensurable rideau de l'ignorance universel venait de se lever.

Toujours affalé dans le fauteuil de son appartement à Sainte-Agathe-des-Monts, égaré dans son errance intellectuelle, il en perd l'appétit. Ses relations avec son travail et sa vie sociale se réduisent au minimum et même en dessous du seuil de l'acceptable. Un autre grand moment privilégié se présentait à lui : accomplir ce que l'illustre Einstein n'avait pu…

Beaucoup plus tard, alors que la faim le tiraille, que les sucs gastriques triomphent sur ses neurones (pourtant solidaires), il marche en direction de l'endroit le plus proche pour donner satisfaction aux sécrétions stomacales victorieuses. Arrivé au fameux coin de rue, son portable sonne. C'est par un heureux hasard que le couple amoureux s'embrasse à nouveau. Comme il s'y attendait, ses collègues l'appellent pour lui signifier de nouveau le dérèglement de leurs vénérées horloges, Timette inclus. Il ne peut faire autrement, tellement son excitation est exacerbée, de leur dire : « J'ai trouvé une hypothèse expliquant l'arrêt des horloges atomiques. Pour le moment, je ne peux vous en dire davantage ». Il y avait situation d'urgence : les sucs gastriques. Il ajoute que si l'on voulait bien le rappeler plus tard, il leur ferait part de ses réflexions. Réflexions qui défiaient l'entendement scientifique, est-il nécessaire de le spécifier?

Il est habitué à l'esprit scientifique de ses confrères : un plus un égale deux. Pourtant, trois peut se révéler tout aussi intéressant, mais voilà, trois est un chiffre impair et donc Yang, masculin, qui implique du dynamisme. Le chiffre deux, lui, est un chiffre pair, donc Yin, féminin. Il suggère de l'équilibre et de la sécurité. Il faut dire que ça prend quand même des couilles pour aller jusqu'à trois : yang, masculin. Son esprit scientifique était habitué aux tergiversations orientales Tao. Il peut réaliser ce que ses confrères ne peuvent accomplir : Yinyanger.

…L'ÉCHELLE DE TEMPS UNIVERSEL (TU),
DÉFINIE À PARTIR DU MOUVEMENT DE
ROTATION PROPRE DE LA TERRE AUTOUR DE
SON AXE. UNE ROTATION CONSTITUANT UN
JOUR SOLAIRE MOYEN (DÉLIMITÉ PAR DEUX
PASSAGES SUCCESSIFS DU SOLEIL AU
MÉRIDIEN INTERNATIONAL DE GREENWICH…

Au HMSS, les scientifiques et les agences de renseignements tentent par tous les moyens de sauver la face, mais personne n'est dupe : ils pataugent tous dans le brouillard opaque indécryptible. Un mince espoir émerge de cette purée avec le nom du professeur Mibevre du Québec. Ils prennent conscience que tout ce qui leur ferait gagner du temps serait bienvenu et, par le fait même, leur permettraient de bien paraitre, ce dont ils ont, maintenant, impérativement besoin. Le professeur Mibevre et ses criquets! Qu'allait-il inventer cette fois-ci? Les portunes ou les lombrics?

« M'enfin », comme dirait Lagaffe.

Ce fut à contrecœur que les services secrets prennent contact avec Mibevre pour voir ce qu'il a d'intéressant à raconter. Comme ils ne comprennent rien à son discours, ils en concluent que c'était une piste salvatrice. Ne négliger aucune voie, tel est la devise du manuel du secret pour les nuls. Les agents secrets se concertent et un plan s'établit en catastrophe : récupérer le couple et Mibevre.

Le HMSS dépêche leur meilleur double zéro, Mikel Burt, réputé pour son efficacité sur le terrain. Il fut désigné « volontaire ». Possiblement que James Bond était assigné à une autre mission ou égaré sur un radeau dans le Pacifique en bonne compagnie.

Voyons voir le double « un moins » un de remplacement.

Mikel Burt, un molosse dans son genre : deux larges épaules qui se balancent sur six pieds de stature, comme *Le grand six pieds du lac Saguay*[3]. Son crâne chauve est ceinturé de cheveux châtains courts. Il est rasé sur le pourtour seulement. Yeux verts, les deux! Une

---

[3] Chanson de Paul Piché

pièce d'homme qui plaît aux femmes et, il le sait. Un histrionique qui s'exprime avec emphase, périphrase et *full*-phrases. Par-dessus tout et surtout au-dessus de tout, il appuie ses dires avec un long index pointeur démesurément et effrontément long. Son autorité se trouve décuplé grâce à cet index pointeur. S'il se pointe sur vous, il vous prend en otage. Veux, veux pas. L'index du représentant de Sa Majesté est une arme qui, s'il vous vise, prend le contrôle de la situation, et ce, manu militari. Il vous a au doigt et à l'œil vert, comme le gentil géant vert[4].

Quelques coups de fil et l'opération démarre. Son nom de code : Play Back. Nanti de son ordre de mission, il est dans l'avion, direction le Canada, province de Québec, une ville peu connue, sinon que par ceux qui y habitent et quelques initiés : Sainte-Agathe-des-Monts.

Sont réquisitionnés sur le terrain pour lui prêter main-forte, le NSA, le SCRS, la GRC et la police de Sainte-Agathe-des-Monts, représentée par nulle autre que Rock Larivée.

Rock Larivée, tout en énergie, se distingue par des yeux couleur océan mer où la gente féminine fond dans l'écume de son regard. Son franc-parler et son sens de l'action en font un coloré personnage. Toute personne qui l'a rencontré une fois le trouve sympathique. Troublant quand on pense qu'il connaît tout ce qui revêt l'habit de malfrat dans la région. Sa mémoire recèle, en ordre croissant, les noms du plus petit truand à celui des légendes du crime organisé et désorganisé, surtout désorganisé. Nommez une combine et il fait allusion au combinard sans prononcer le nom du personnage, bien sûr : Omerta policière oblige. Il a toujours un petit ninas éteint à la bouche et il cherche continuellement son briquet égaré. Ne laissez pas le vôtre traîner. Disparition assurée.

Vu son amour pour les chevaux, il aurait préféré un cheval plutôt qu'une auto-patrouille. C'est peu dire quand même. Lucky Luke en rage de Rock Larivée. Le *poor lonesome cowboy* dégaine plus vite que son ombre, mais Larivée, lui, arrive plus vite que son arrivée.

---

[4] Émission américaine : *The gentle giant*

C'est Larivée qui, à Sainte-Agathe-des-Monts, maintient l'opération dans le plus grand secret puisqu'il avait été prévenu par Burt des événements à venir. Pas facile, quand on pense que dans un petit village comme Sainte-Agathe-des-Monts, le moindre geste insignifiant génère des potins des kilomètres à la ronde. Imaginez! Recevoir incognito le NSA, le SCRS, la GRC en même temps, sans que personne le sache, à Sainte-Agathe-des-Monts, du délire vu que tous présentent le même gabarit, portent des tailleurs identiques; même une nonne pourrait à les reconnaître. Tout un contrat pour le chef de police qui lui-même ne passe pas inaperçu!

Affairé à son bureau, il a déjà instruit ses collègues, pris les dispositions pour accueillir « la grande visite ». Un bruit de pas infamilier, dans le passage qui mène à son bureau, attire son attention, il lève la tête et voit arriver inopinément de nouveaux visages.

— Monsieur Larivée, je présume, interroge le nouveau venu en tendant ses quinze phalanges droitières en signe de politesse.

L'inspecteur les saisit.

— J'ai l'impression d'une grande visite, est-ce que je me trompe?

— Mikel Burt du HMSS.

— Bonjour Monsieur Burt. Vous v'lâ bredouille Larivée d'une voix mal ajustée.

— Désolé M. Larivée vous allez comprendre que dans notre monde le secret est notre arme principale, peut-on se parler en privé?

Sans lâcher son ninas et toujours avec ses grosses pattes sur le bureau, il désigne du regard la porte et il dirige ses yeux vers la chaise face à son bureau :

— Installez-vous ici et fermez la porte.

Le géant s'exécute et il en profite pour balayer du regard la pièce. Il constate qu'elle est surtout décorée de photos de chevaux, de photos de criminels et, bien entendu, de quelques affiches de *pin-up*. Une citation épinglée au mur lui arrache un sourire : Si active qu'elle soit, la police ne parviendra jamais à arrêter le temps qui s'enfuit... [5]

Cette inspection faite, il s'assoit :
— Merci, appelez-moi Mikel, cela facilitera nos rapports.
— Ouin, Ok, Rock pour moé, ceci est dit avec un humour qui jauge l'autre.
— Je vois que vous aimez les chevaux, et…
— Pas seulement les chevaux, les plaisirs de la vie… aussi. Et toi?
— La même chose que toi quoique… les chevaux en moins. Pas que je les déteste, mais dans ma fonction, j'ai peu de temps pour les fréquenter. Il en va tout autrement pour… comment tu dis?
— Plaisir de la vie, oui j'ai compris.
— Hi, hi, hi, après notre affaire, nous irons faire une *ride* de cheval et je vous présenterai un peu de… vie, ajoute Larivée avec un sourire qui se veut complice.
— Avec plaisir Rock! Vous avez songé à un plan pour notre intervention?

Jamais Sainte-Agathe-des-Monts n'avait vécu une telle agitation secrète : véhicules quatre roues motrices noires, autos-patrouilles fantômes (connues de tous), faux touristes intéressés par des bâtisses auxquelles personne ne s'est jamais attardé. Jamais, de mémoire d'intersections, un coin de rue n'a été aussi bien gardé à des coins de rue à la ronde. Ce croisement pouvait faire l'envie de tous les coins de rue des films d'espionnage. Cependant, rien de prédestiné dans l'histoire routière. La rencontre perpendiculaire de deux voies, après tout, disons-le banal : une rue en croise une autre. Elles ont pour nom : Saint-Vincent et Préfontaine, pourtant…

Durant ce temps, les horloges atomiques accomplissent leur travail docilement, comme des fonctionnaires du temps. Temps n'a pas le choix, il besogne.

---

[5] Pierre Dac

À l'intersection, Sue Haves marche à la rencontre de Sissy Phasolle. Sissy Phasolle avance à la rencontre de Sue Haves. Ils ne remarquent rien d'anormal tellement ils goûtent au bien-être de leur bulle amoureuse. Ils auraient dû se rendre compte de la présence des Suburban noirs, une telle quantité au même moment, à la même intersection, le même jour, en verseau croissant lune, deuxième quartier. Ils auraient dû reconnaître les nouveaux individus occupés à ne rien voir. Au croisement, pourtant si bien connu d'eux – leur coin de rue –, le sourire de Sue Haves opère à nouveau et les yeux de Sissy Phasolle deviennent rieurs; leurs yeux se tartinent de Nutella. L'inhabituelle activité les laisse indifférents.

Temps sent une nouvelle pause le titiller.

Les agents secrets partagent leurs secrets plus que jamais. Le secret en chef et le chef de police jubilent comme deux larrons en foire, tellement cette opération leur semble facile.

Sue et Sissy prennent le temps de se rapprocher à petits pas amoureux. Leurs bras enlacent mutuellement l'autre, leurs yeux tendrement s'abandonnent à leurs lèvres, leurs lèvres au parfum unique, le parfum unique au souffle chaud, le souffle chaud à leur cœurs à l'unisson. Il n'en fallut pas plus pour que l'ami Temps flanche et, que, du même coup, toutes les horloges, aussi atomiques fussent-elles, lancent la Théorie des dominos. Était-ce la Théorie des dominos ou la Loi de Murphy? Mystère.

Ce qui est certain, c'est que toutes les horloges, sans être de connivence, font la grève du mouvement des aiguilles, et ce, en même temps.
Burt avait installé un périmètre de sécurité : la police de Sainte-Agathe-des-Monts filtrait la circulation, les autos fantômes ne surveillaient… rien, de façon incognito. Finalement, tout ce beau monde occupait l'intersection et s'ignorait.

Le secret en chef et sa garde rapprochée, en constante communication avec les grandes agences de renseignements, sont aux aguets comme la marmotte et son ombre au printemps. Un grand moment s'inscrit dans l'Histoire des télécommunications de

Sainte-Agathe-des-Monts. Après quelques vérifications d'usage, les secrets, en secret, font mouvement ensemble, en secret.

Le Suburban de l'agent anglais, au coin de la rue, s'approche des amoureux et s'immobilise. Le temps de compter jusqu'à quatre. Un : deux portières s'ouvrent et libèrent du même coup Burt et deux de ses sbires. Deux : trois mains agrippent Sue et Sissy. Trois : quatre jambes, deux têtes, un kidnapping est hissé dans le véhicule. Quatre : portières fermées et le Suburban fit ce qu'il avait à faire : partir en trombe, crissements de pneus inclus pour la galerie et direction Mirabel, dare-dare. Incroyable harmonie entre l'homme et la machine. On devrait tous posséder un Suburban... noir.

La corneille, sur son arbre perchée (cliché), croasse de surprise, n'ayant pu prévoir ce qui s'était dessiné...

S & S furent tellement surpris qu'on les extirpe de leur bulle pour les pousser dans une autre qui ne leur appartenait pas, qu'ils n'opposèrent aucune résistance. Ils restèrent interloqués. Pourtant, ils doivent se rendre à l'évidence, ils sont assis dans un Suburban avec quatre zigotos dont ils ne connaissaient ni de A, ni de B. Un grand aux yeux verts et trois autres en tous points identiques, stature en moins. Ils regardent les quatre drôles de pistolets qui les ignorent. Les amoureux constatent qu'ils sont ensemble : bon point. Ils ne pigent que dalle à la situation. C'est à peine s'ils réalisent que le véhicule roule en maître sur le ruban d'asphalte.

Une fois sur l'autoroute, la stupéfaction laissée à la périphérie de la ville, Sissy Phasolle se risque timidement, il demande en chevrotant :
— Euh, que se passe-t-il?... Euh, où allons-nous?
Burt en contrôle de la situation et d'une voix neutre :
— Calmez-vous, nous sommes ici pour votre sécurité. Nous avons instructions de vous amener dans un lieu précis pour rencontrer des gens qui, eux non plus, ne vous veulent pas de mal.
— Et si nous ne collaborons pas, émit Sue Haves frondeuse.

Elle s'étonne de son effronterie.

Les yeux verts du secret prennent une expression déterminée, toutefois sans agressivité; il était évident que ce n'était pas une bonne question à poser.

— Je vous le répète Mademoiselle, nous ici pour veiller sur vous

— Facile à dire Monsieur? Et si c'était vous qui occupiez notre place?

L'agent secret pour faire diversion et détendre l'atmosphère :

— Je me présente : Mikel Burt du HMSS.

— HMSS?

— Un acronyme pour Her Majesty Secret Service. Le HMSS est une agence de renseignements. Je suis désolé, on ne choisit pas toujours la façon de se rencontrer dans mon métier. Soyez assuré, nous sommes ici pour votre sécurité. Vous avez ma parole.

— Bien, que venons-nous faire dans vos histoires, Monsieur Burt?

— Vous le saurez arrivés à destination et je vous le répète, tout va bien se passer.

L'homme à l'index avait sorti, durant toute cette conversation, son triple phalangien qui alternait d'un kidnappé à l'autre, secondé de l'auriculaire timide.

S & S, assis côte à côte, communiquent leurs émotions par leurs mains qui ne s'étaient jamais lâchées. L'atmosphère se détend. Le reste du trajet se fait en silence, un silence lourd de questions, un silence éloquent, un silence qui n'avait pas été invité, un intrus qui avait pris place.

Arrivé à Mirabel, le Suburban se dirige vers un hangar où, à l'intérieur, un avion attend, toutes portes grandes ouvertes. Sous l'aile gauche de l'appareil, l'inspecteur Larivée, assis au volant de l'auto-patrouille balisée à l'effigie de Sainte-Agathe-des-Monts, cherche toujours désespérément son briquet et prend son mal en patience...

Lorsque le Suburban s'immobilise près du chef de police, Burt descend et rejoint Larivée pour savoir s'il doit le féliciter de la bonne marche de l'opération.

— Tout s'est bien passé?

— Ouin, tâ du feu?

— Désolé, je ne fume pas. Il est là?

Il dirige son regard vers l'appareil.

— Ouin, dans l'avion.

— Excellent.

— Ouin, quand r'viens-tu pour une p'tite *ride* de cheval, pis…

— Aussitôt la mission terminée, je t'appelle, puis on se paye du bon temps. OK?

— OK.

Burt prendre congé du limier de Sainte-Agathe-des-Monts et se marche vers le Suburban. Il ouvre la portière et dit :

— Si vous voulez bien me suivre, ordonne l'agent en chef en désignant l'avion.

Sissy Phasolle exaspéré :

— Non, mais écoutez, ça n'a pas de bon sens. On ne va pas monter dans cet avion. Quand même!

L'homme aux phalanges prend un air résigné, mais… autoritaire. Avec son index à l'appui :

— Je vous comprends, à vous de choisir. Il y a la méthode facile et l'autre… moins facile.

Opposer une résistance est hors de question. Que faire? Suivre. Sissy, bousculé, pense surtout à Sue, il ne veut pas qu'il lui arrive de mal :

— OK, OK, on opte pour la première.

Les otages, suivis de Burt, pénètrent dans l'avion. Les trois collègues, copies conformes du super agent, occupent des sièges les uns derrière les autres, côté hublot, face au poste de pilotage, à l'arrière de l'avion. Sur les quatre fauteuils placés face à face, Mibevre prend place sur celui près du cockpit, sur le bord de la porte d'entrée; ils sont disposés à quatre-vingt-dix degrés par rapport à ceux des assistants de Burt. Sue et Sissy se dirigent vers les deux fauteuils du fond, face à Mibevre, ce qui leur permet d'être côte à côte. Le géant s'installe à côté du minuscule professeur. Sa position avantage son champ visuel et lui permet de contrôler tous les participants de l'envolée.

Le professeur Mibevre attendait depuis un moment déjà. Il avait été emmené à l'aéroport par Rock Larivée. Il parut à Sue et Sissy sympathique avec sa queue de cheval, ses lunettes rondes et son air *hippy*. Aussi, ils jugent nécessaire de s'en faire un allié.

Sue Haves, sans agressivité, et en déployant son charme :
— Bonjour, vous au moins pouvez nous dire ce que nous faisons ici?
— Bonjour, je me présente : professeur Mibevre, du Centre de recherche en bio-temporalité de l'Université du Québec.
Les portes de l'avion se referment et les moteurs font avancer l'appareil pendant que les secrets bouclent leur ceinture.

À croire que la piste leur était réservée, puisqu'ils n'eurent pas à attendre l'ordre de décollage. L'appareil roule directement sur la piste et le pilote enclenche le plein régime des moteurs. Un ciel gourmand d'avions les aspire dans son bleu sidéral.

Sissy Phasolle, toujours exaspéré, lance son fiel :
— Bonjour professeur Mibevre, vous au moins pouvez nous dire où nous allons. Que faisons-nous dans ce putain d'avion? Pourquoi cet enlèvement? Les services secrets? Enfin, c'est quoi ce bordel Professeur?
Burt ne laisse pas la chance à Mibevre de répondre :
— Un instant, une question à la fois! enchaîne d'une voix ferme l'agent secret avec la paume de la main face à Sue et à Sissy, les cinq doigts bien collés, tous au garde-à-vous et qui ordonnent : Silence.

Il continue avec un ton pausé :
— D'abord, nous allons à Cambridge, dit-il. Son cher index, cette fois-ci, seul, au garde-à-vous.
Les otages se regardent, leurs yeux noisette n'affichent plus que des points d'interrogation noirs sur un fond de rétine noisette. En

autre temps, cela aurait été tout à fait charmeur, mais, maintenant, cela ne génère qu'inquiétudes.

Le ronron des moteurs devient régulier, tous détachent leur ceinture et Mikel Burt continue :

— À Cambridge, plusieurs de mes confrères et des collègues du professeur Mibevre vous attendent.

Il ne reste plus de fond noisette, tellement les points d'interrogation occupent tout l'espace de leurs quatre yeux.

— Je ne peux vous en dire plus. Mes confrères et moi pensons que vous êtes la source d'une calamité mondiale qui sévit actuellement.

Les points d'interrogation débordèrent des quatre cercles noisette de l'iris pour envahir le blanc de leurs yeux, tout le blanc de leurs yeux. À l'inquiétude s'ajouta la consternation. Et tous les deux sardoniques :

— La source d'une calamité... Ha! Ha! Ha!

Et Sissy continua seul :

— mondiale Ha! Ha! Ha! T'as entendu ça Sue? Une calamité mondiale, je n'en reviens pas. Le monde est plus fou que je le pensais.

Mibevre coupe l'herbe sous le pied au représentant de Sa Majesté et prend la parole.

— ...Ha! Ha!... Enchaîne-le coloré professeur, cette fois bien installé dans sa sphère de connaissance. Connaissance qu'il aime afficher avec ostentation. Tout ce ceci peut vous sembler drôle ou farfelu, mais permettez-moi de vous renseigner.

Il prend une grande respiration et continue :

— Actuellement, à l'échelle planétaire, tous les pays dotés d'appareils de mesure du temps connaissent des arrêts simultanés, qui durent entre une minute et deux minutes et demie. Je vous fais grâce des millisecondes reliées à ces arrêts. Il y a même eu une interruption d'une heure quarante, i-m-a-g-i-n-e-z, a-u-c-u-n appareil de mesure du temps ne f-o-n-c-t-i-o-n-n-a-i-t sur et en dehors de la planète... Ha, ha!...

Il poursuit, enflammé :

— Qu'une horloge déjante, cela relève du possible, mais toutes en même temps, là, on entre dans l'inconcevable. Même l'horloge de la station spatiale en orbite a connu des interruptions équivalentes à celles sur terre. Donc, mes confrères et moi-même cherchons une explication à ce problème planétaire.

Et il continue sur la même envolée :

— Vous devez savoir que toute l'activité humaine est régie par le temps. Alors, d'une à deux minutes d'arrêt, vous pouvez concevoir la catastrophe que cela représente. Le temps, qui n'est pas géré par nos appareils de surveillance du temps, disparaît. Comment se redonner à nouveau une synchronicité si ces courtes périodes de temps n'existent plus? Nous ne pouvons pas faire machine arrière avec le temps puisqu'il ne se vit qu'au présent… Ha, ha!...

Il marque enfin une pause pour récupérer sa salive qu'il postillonne depuis le début de son envolée oratoire. L'exultation continue :

— Ha! ha!... C'est là que ça devient intéressant!

Mibevre est dans son élément. Il parle du temps avec fébrilité comme deux amants sur le point d'atteindre l'orgasme. Comment une personne si réservée pouvait-elle passer de la retenue à un pareil état de jubilation? Ça, c'est une autre question. Revenons à nos moutons et à ceux du prof.

— Cela n'est qu'une hypothèse, j'insiste là-dessus, une hypothèse et la seule que nous envisageons, vos étreintes dérèglent les horloges… Ha, ha!...

Sue Haves regarde son amoureux :

— Nos étreintes, tu as entendu cela, bel amour? Je savais que l'on s'aimait, mais à ce point… Tu y comprends quelque chose toi, Sissy?

— Non. Ils en fument du bon ou le monde est plus fou que je pensais.

Mibevre brûle d'envie de se lancer dans sa nouvelle théorie sur le moment amoureux et le temps. Toutefois, il considère que s'abstenir vaut mieux. Et le géant vexé lâche le dernier mot :

— Sachez que je ne fume pas et surtout pas ce que vous insinuez. Compris.

Le reste du voyage se fait en silence, chacun cloîtré dans son errance intellectuelle, mis à part l'agent Burt, en constante conversation au cellulaire. Il tente d'en dire le moins possible. Sue et Sissy comprennent qu'il se passe quelque chose d'important. Burt au cellulaire, répond de façon lapidaire et en code d'agent secret.

Ça donne à peu près ceci :

— Voyons donc…
— Appliquer le code 6.
— Non, ajoutez-en 125.
— Avez-vous pensé au … SBC 2c?
— Suivez la procédure à la lettre.
— Oui, nos amis doivent être présents.
— Tout le dispositif…

Et ainsi de suite.

« Suivez la procédure à la lettre » veut dire, dans son langage : fouillez tout sur eux, surtout toutes les rencontres qu'ils ont pu faire dernièrement. Le travail de tout bon limier.

CONTINUONS

Temps n'avait pas d'amie de cœur, comme l'homme une amoureuse, une amoureuse son amoureux. Non, il était seul dans son univers jusqu'à ce que la belle fasse son apparition vers 1940. Une *blinddate* organisée par nul autre que le grand Albert Einstein. Avec un entremetteur aussi célèbre, inutile de dire qu'ils devinrent éperdument amoureux. Leur nom devinrent aussi célèbres que l'intermédiaire, et aussi indissociables, pour qui pouvait reconnaître l'amour. Ils devinrent Espace-Temps comme Tristan et Iseult, Roméo et Juliette, Roger Rabbit et Jessica Rabbit. Elle occupe tout l'espace, et lui, tout le temps. Elle en a une infinité d'espaces et lui, une infinité de temps. Imaginez l'amour à l'infini conjugué aux confins du passé antérieur, au présent actuel perpétuel et au futur postérieur éternel.

Un début? Vers 1940. Pas de fin, comme histoire d'amour. Où s'est-on rencontrés? Quand s'est-on rencontrés? Un seul point de repère : 1940. Pas de fin. Ils avaient toujours occupé l'univers; il faut tout même admettre que c'est grand l'univers. Pourtant, ils étaient là, côte à côte depuis le commencement du commencement.

Oui, ça a fait tout un *tilt* quand ce merveilleux physicien-musicien les a réunis. Oui, ça a fait tout un *tilt*.

Avec Temps, elle prit conscience de son corps spatial, de sa féminité cosmique, de ses courbes spacieuses; elle savait maintenant qu'elle pouvait rendre un amoureux fou d'elle. Tout l'univers est meublé de ses sinuosités spatiales. Et lui, tout d'un coup, il existait; il a tellement de temps à lui consacrer : des années-lumière d'histoires à lui conter dans les moindres millisecondes, de quoi la fasciner pour des années-lumière d'ad vitam aeternam. La félicité quoi!

Ils se ressemblent, ces deux éthérés. Lui : laisser courir ses doigts sur une partie de son espace sans fin. De ses yeux amoureux, chercher de nouveaux contours. Elle jubile de pouvoir lui offrir l'infini de ses courbes à l'infini. Comme une femme offre son corps à son amant et qu'il le découvre pore par pore. Imaginez, se faire découvrir dans les moindres détours d'une courbe infinie.

Des siècles et des années-lumière de continuel émerveillement, de nouvelles découvertes. Toujours sentir qu'il n'en fera jamais le tour de ses contours démesurés. Tous les jours, il sait qu'il sera en perpétuel ravissement devant une trouvaille inédite d'elle. Il la fera se découvrir dans son espace. Avoir de l'espace à offrir? l'Azuréenne en a à offrir. Un univers d'espace et de courbes pour l'éternité.

Ça le chatouille quand elle lui susurre : tic tac, tic tac; oui, ça le chatouille. Elle peut lui dire lentement, rapidement, *a tempo*. Elle peut lui murmurer imperceptiblement tic et laisser passer un soupir presque intemporel. Souffler un tac langoureux, lascif et hop, un frisson de Temps séduit. Elle peut le titiller de tic tac, tic tac. Elle sait comment l'allumer son Temps précieux, elle le voit frétiller son Temps amoureux,

                    a m o u r e u x ,
         a m o u r e u x.
Des années-lumière de bonheur spatial, une félicité spatio-temporelle. Merci Albert. Albert ce vieux fou à bicycle, amoureux de son violon. Lui, il sait ce que c'est que l'amour. Laissons nos amoureux éthérés.

Plus près de nous, sur une planète où reposent vos pieds. À l'*Universel Time Laboratory* (UTL), convergent, de tous les pays, des scientifiques et leurs équipements. À l'intérieur du bâtiment moyenâgeux, au fond de l'amphithéâtre, les techniciens installent sur trépied une panoplie d'appareils de détection ultrasophistiqués... Montés sur trépied, ils calibrent des caméras ultrasensibles, des caméras thermosensibles, des enregistreurs de pulsations cardiaques, des détecteurs de champs biomagnétiques, des caméscopes détecteurs d'auras, des senseurs de biovibrations, etc. Il se prépare, en ce lieu, un grand moment. Tous les appareils sont reliés à des magnétophones et des consoles diverses pour analyser en profondeur ce qui, pour l'instant, leur échappe. L'armée de personnel technique s'affaire à bichonner tous ces instruments. Bien sûr, comme pour toute bonne expérience scientifique, il faut des observateurs; des tables et des chaises ont donc été disposées entre ces appareils, et une scène surélevée, pour recevoir l'objet de leurs supputations.

Un tel déploiement de la communauté scientifique vers l'UTL, à l'initiative du HMSS, ne manqua pas d'attirer tous les volatiles des communications.

À l'extérieur de l'UTL, une multitude de cars de reportage, munis d'antennes paraboliques, squattent les moindres espaces disponibles aux environs de la bâtisse d'allure médiévale. Caméramans et reporters, avec leurs équipes de voyeurs, écorniflent partout autour des cars. Ils envahissent le plus infime recoin inoccupé sur les pourtours du bâtiment principal et font preuve d'une imagination sans borne pour déployer leur œil de cyclope à trois pattes; tantôt installés sur trépied, d'autres, plus voraces, prendront position sur des rebords de toitures qui offrent un appui accessible. Ils peuvent ainsi jouir d'une panoplie d'angles de prises de vue. Certains réseaux d'information, plus nantis, innovent avec des caméras montées sur de minuscules hélicoptères téléguidés : des drones lorgneurs. Les drones bourdonnent comme un maringouin prêt à sucer l'information visuelle, d'où qu'elle surgisse.

Une armée de preneurs de son, équipée de microphones ultrasensibles, prend place dans les endroits les plus inusités, tels des lampadaires, des corniches moyenâgeuses, et ce, au prix d'acrobaties dignes du Cirque du Soleil. Certains, munis de micros pointeurs au laser qui, dirigés sur le carreau d'une fenêtre, peuvent transmettre les conversations de l'intérieur de la pièce grâce à la vibration du verre.

Certains journalistes se prélassent sur une chaise longue, sous une tente, en attente du moindre événement. Ils ont établi un véritable siège médiatique.

Quel spectacle que de voir tous ces autocars de reporters des plus grandes chaînes de télévision. Il y a une multitude de journalistes, de photographes et de caméramans de la région et d'ailleurs. Le ciel est occupé par des hélicoptères de reportage comme pour les pires catastrophes ou les coups de théâtre des grands de ce monde. Le secret des secrets a été éventré et tous les vautours médiatiques convergent au rendez-vous pour se remplir le gésier d'informations.

L'étonnement des occupants du Suburban verse dans le paroxysme à leur arrivée à l'UTL. Ils voient tous ces gypaètes de l'information diriger vers eux leur bec goinfre, voraces et avides. Ils sont prêts à s'empiffrer et à se remplir le ventre du moindre incident. Burt avait bien préparé le terrain. L'armée, non sans difficulté, vint circonscrire les rapaces. Elle permet ainsi au véhicule de s'arrêter sur l'esplanade principale du célèbre laboratoire. Une quintuple rangée de soldats s'interposent entre le véhicule et la meute de charognards.

Le géant sort du Suburban, prend *ipso facto* la direction des opérations. Il pointe, à deux mètres de son subordonné secret, son index directement sur le bout du nez! Il assujettit, de cette façon, totalement son attention à la sienne. Les yeux du collaborateur, hypnotisés, suivent docilement les membres coordonnés de Burt. Ils vont, soumis, de la phalange à la phalangette, de la phalangette à la phalangine, de la phalangine au métacarpe, du métacarpe à l'avant-bras, de l'avant-bras au bras et du bras au vert autoritaire de ses yeux. Un instant file et Burt, sûr de son attention, le regarde directement dans les yeux et donne ses instructions :
  — Postez-moi dix gardes ici.
  — Oui Monsieur.
  — Vingt gardes postés là.
  — Oui Monsieur.
Il enchaîne avec des instructions sur les communications et on entend toujours la même réponse.
  — Oui Monsieur.
Pendant que le secret en chef donne ses ordres, la masse d'uraètes agglutinés autour de la quintuple ceinture militaire croasse question par-dessus question. Les perches pour microphones s'agitent au-dessus de la tête des militaires. Une nuée de moustiques cyclopéens vrombissent en virevoltant en cercle au-dessus de leur cible et transmettent les moindres détails de la scène. Burt a le sentiment qu'on va lui piller ses secrets les plus intimes et :
  — Hop, tout le monde à l'intérieur pour le comité de réception.
Même Mibevre, pourtant verbomoteur, resta coït, quoi. Les amoureux, collés l'un à l'autre, se soudent à leur sauveur

kidnappeur. Le professeur n'est pas en reste, il suit de près et son agitation se confirme par le balancement de sa queue de cheval.

Une corneille stupéfaite, perchée sur le faîte de la couverture de la bâtisse, lissait patiemment son plumage d'incrédulité.

Sous une pluie d'éclairs de flash et un tsunami de questions des gypaètes fouineurs, le quatuor sous bonne garde, débouche dans un vaste auditorium… Incroyable. Mikel Burt, estomaqué, fourre son plus grand allier de la main droite dans la poche de son veston.
Et pour lui-même :
— Ben ça alors.
Le vert de ses yeux blêmit…

...TOUS LES TRAVAUX CONCERNANT LA MESURE DU TEMPS SONT PLACÉS SOUS L'ÉGIDE DU BUREAU INTERNATIONAL DE L'HEURE... IL SUPERVISE L'UTC (TEMPS UNIVERSEL COORDONNÉ). SUR LE PLAN NATIONAL, LES TRAVAUX SONT COORDONNÉS PAR LE BUREAU NATIONAL DE L'HEURE, QUI A NOTAMMENT POUR CHARGE LA TRANSMISSION DE SIGNAUX HORAIRES PAR VOIE HERTZIENNE (GRÂCE AUXQUELS LES UTILISATEURS PEUVENT RÉGLER LEURS PROPRES HORLOGES SUR LE TEMPS LÉGAL)...

Le quatuor, en pénétrant dans l'auditorium de l'UTL, constate que celui-ci est bondé. Installés autour de plusieurs tables, les occupants palabrent. Une affichette placée au centre de celles-ci identifie le pays d'origine de chacun de chaque personne assise. S & S distinguent sur les écriteaux des noms orientaux : chinois, japonais, indien, etc. Des appellations à la calligraphie russe, grecque, allemande, serbo-croate, finlandaise attirent leur attention incrédule. Tous les représentants de la planète affichent leur présence par leur graphie caractéristique! L'étonnement du couple bascule dans l'abasourdissement le plus total, sans qu'il soit nécessaire de l'aider d'une infime poussée.

Imaginez... *Rencontre du troisième type* [6] quand le vaisseau extraterrestre arrive et s'immobilise au sommet de la montagne. À ce moment, une batterie de caméras, de microphones, de projecteurs entre en action pour enregistrer le moindre des mouvements de ces bipèdes venus de l'espace. Dans ce cas-ci, Sue Haves et Sissy Phasolle représentent l'espèce des bipèdes venus de l'espace de... Sainte-Agathe-des-Monts, province de Québec.

Que le spectacle commence.

Mc Gale, directeur de la mission scientifique, invite Sue Haves, Sissy Phasolle, Mibevre et Burt à se rendre sur la scène de l'auditorium.

---

[6] Film de Spielberg : *Close enconter of the third kind*

Sur la scène, le directeur s'adresse aux deux Québécois au talent bien particulier et à l'assistance :
— Bonjour et bienvenue à l'UTL.
— ????? (s)[7]
— Bien sûr, vous vous posez une foule de questions et nous allons tenter d'y répondre.
— ?? (s)
S'adressant à Sue et Sissy :
— Tous mes collègues du monde entier sont réunis, ici, dans l'attente de votre venue. Permettez-moi de vous expliquer le champ d'intérêt de mes confrères et de moi-même. Nous sommes en quelque sorte les gardiens du temps. Chacun de nous a, dans son pays respectif, des appareils de mesure du temps; vous comprendrez donc que toute la Terre en est couverte. À des périodes régulières, nous ajustons nos horloges, afin d'obtenir une plus grande précision sur le temps que nous surveillons. Tout cela est coordonné de façon à avoir un temps consensuel universel.
— ? (s)
— Pourquoi êtes-vous ici, et pourquoi sommes-nous ici? Parce que, dit-il en regardant le professeur aux lunettes cerclées, le professeur Mibevre pense que vous êtes la cause du dérèglement de nos appareils.
— ???? (s) Heeeeeu la cause… (s)
— Oui, nous le pensons. Cela n'est qu'une théorie, bien sûr.
Sue et Sissy se regardent et haussent les épaules.
— Sûrement que le professeur Mibevre vous en a informé durant votre voyage?
— Heu, oui (s)
— Nous aimerions, mes collègues et moi qu'il ait tort, avec tout le respect que nous lui devons. Devant la gravité de la situation, il nous faut quand même considérer cette possibilité.

Une voix dans la salle demande la parole. C'est le professeur Krimminski :

---

[7] (s) représente Sue et Sissy

— Comme professeur Mibevre pense, quand vous embrassez, vous faire arrêter horloges. Nous vouloir démonstration sur-le-champ pour valider théorie du professeur.

Les amoureux se regardent tout aussi amusés qu'incrédules. Ils savent bien que, lorsqu'ils s'embrassent, il y a bien un courant qui passe, un je-ne-sais-quoi, mais de là à faire dérailler les horloges, quand même c'est un peu gros. Gros, é-n-o-r-m-e.

Bon, c'est le moment d'en finir. Ils se placent donc l'un face à l'autre comme pris en otage par le désir de l'assistance insistante. Sissy Phasolle voit un sourire amusé se dessiner sur les commissures des lèvres de Sue Haves. Le silence remplit tout l'espace; il règne en maître des lieux surtout par son intensité. Jamais un silence ne fut plus éloquent d'intensité.

Ils aiment s'embrasser; ce n'est jamais forcé. Naturel. Pour eux, c'est un geste tout à fait naturel comme quand quelqu'un vous tend la main et que, naturellement, vous répondez à ce geste. C'est un geste qui se veut amical, un geste qui exprime tout simplement « accepte-moi, permets-moi de me rapprocher de toi, de te dire que je t'aime ». Sue et Sissy aiment, par ce geste mutuel, se dire qu'ils sont amoureux l'un de l'autre; ce n'est qu'un autre moyen d'exprimer leur attirance amoureuse. Ils pensent « J'exprime tout l'amour que j'ai pour toi quand je pose mes lèvres sur les tiennes ».

Par contre, ils se rebutent à l'idée d'effectuer ce geste personnel en spectacle.

Pourtant…

Sue Haves s'approche encore un peu plus près de Sissy Phasolle. Lui l'imite. Leurs yeux deviennent rieurs et un petit sourire complice s'assit à califourchon sur les commissures de leur bouche. Leurs quatre yeux noisette se rencontrent et fondent dans un mélange de beurre noisette, vous savez, le fameux Nutella. Il la prend doucement, gentiment par la taille, elle se blottit dans ses bras. Il l'enlace et leurs lèvres se rapprochent avec délicatesse, les yeux dans le beurre... de noisette, il va sans dire! Leurs paupières se ferment comme les enfants font lorsqu'ils referment les deux tranches de pain sur leur tartine de Nutella. Et, là, à cet instant précis, quand leurs lèvres se rencontrent...

Tous les téléphones mobiles des scientifiques présents dans la salle, et sûrement ailleurs aussi, tous les téléphones de l'ensemble des représentants de tous les pays entrent simultanément en concert. Une symphonie de sonneries de cellulaires aux timbres les plus différents les uns des autres appelle leurs « musiciens ». Imaginez, les traditionnels drings drings jouer sur toutes les tonalités. Des airs de musique connus comme « La Traviata », « Peter Gun suite », des thèmes de Mozart, de Beethoven colorent cette partition musicale. Ajoutez tout ce qui a pu être élaboré par les concepteurs de sonneries telles des cocoricos, des jappements, des croassements, des barrissements, des vagissements, et ainsi de suite. Une symphonie de cellulaires. Tous les représentants répondent en même temps, comme des musiciens qui s'exécutent au signal de la baguette d'un invisible chef d'orchestre.

À la suite de ce mini concert, un étrange phénomène se manifesta. Tout un étrange phénomène, il faut en convenir.

Voici, ce qui se produisit autour du couple. Le plus inusité des silences. Vous pouviez percevoir l'endroit précis où débutait cet incroyable silence; il commençait au centre de la place que Sue et Sissy occupaient et irradiait jusqu'au parterre. Là était sa frontière, tranchée nette. Passé cette démarcation, il s'étendait à une autre zone, la zone des représentants de tous les pays qui discutaient au téléphone avec leurs collègues restés à la *maison*. Entre la zone des délégués et le fond de la salle, un autre espace sonore étanche, équidistant, délimitait le tumulte et l'arrière de la salle. En traversant cette délimitation, vous passiez très distinctement des conversations de cellulaires aux bruits de moteur des cinés caméras et le cliquetis des appareils photo. Trois zones bien distinctes : le silence autour de S & S, la zone de palabres des représentants et l'aire du bruit mécanique des appareils de mesures au fond.

Au moment où le baiser se termine, le silence regagne du terrain et s'étend de la zone des amoureux jusqu'à la limite de la région des caméras, englobant tous les représentants de tous les pays. Le silence se surprit lui-même, jamais il ne fut aussi émotionnel, une sorte d'impression de béatitude, d'émerveillement aphone, une sensation difficile à décrire. Toutes les personnes présentes éprouvaient la même sensation que lui. Il se sentit comme l'assistance en ce moment, il se sentit humain, il en fut très fier et une forte poussée de sentimentalité le rendit fébrile! Il fut sur le point de se comporter comme une Madeleine.

Dans un élan spontané et soudain, tous les participants, d'abord timidement, très, très timidement, commencent à applaudir. Cela leur permet de libérer, en premier, le surplus d'émotion jusque-là contenue. En second lieu : de témoigner leur étonnement collectif. Ce qui laisse Sue et Sissy complètement abasourdis, interloqués. Poussés par l'ovation, ils se serrent tendrement sous les yeux admiratifs de Mc Gale, Mibevre, Burt et l'assistance.

L'agent secret ne savait que faire, car son manuel du parfait secret pour les nuls gardait le mutisme absolu sur ce type de situation.

Tout ce que les nouvelles vedettes peuvent faire, sans gêne aucune, c'est de se regarder amoureusement puis de pointer leurs regards vers l'auditoire, fières de leur prestation et surtout heureuses de ce moment partagé. Elles échangent un dernier coup d'œil complice et d'un commun accord, radieuses, quittent la scène, main dans la main.

Temps reprit sa besogne.

Burt prend la suite des opérations, au pif, faute de mieux. Le colosse aux yeux verts réunit ses atouts : son pif et son inestimable doigt. Il dirige avec sa baguette phalangienne, comme un chef d'orchestre, une improvisation sur le thème de « sortie côté cour[8] »; il fait une moue au directeur qui voulait dire « où allons-nous?» Les vedettes et le maestro de l'index talonnent Mc Gale qui les

---

[8] Phase célèbre de Pink Panther

entraîne vers un couloir dérobé. Chemin faisant, Sue Haves demande :

— Dites-moi, Monsieur Burt.

— Non, non, appelez-moi Mikel, tout bien considéré, je suis votre bon ange gardien, non?

— D'accord, monsi... heu... Mikel.

Reprenant son aplomb :

— Mikel, serait-il possible que Sissy et moi puissions être seuls, pour pouvoir nous reposer, vous comprenez... après tout ce...

Le directeur répond à la place du super agent.

— Bien sûr Mlle Haves, c'est la moindre des choses. Venez que je vous conduise, vous devez être bien fatigués après... ce voyage et toutes ces émotions... et surtout après....

Il est pris de court, il ne veut pas utiliser le mot « prestation » qu'il trouve inapproprié.

Il enchaîne :

— J'ai des appartements disponibles pour les chercheurs étrangers qui participent, ici, à un stage. Suivez-moi, ce n'est pas très loin, prenons à gauche et c'est tout près. Nous y sommes.

Il s'immobilise devant une porte, sort un trousseau de clefs, en sélectionne une, l'introduit dans la serrure et la tourne. La porte s'ouvre sur une pièce de moyenne grandeur, garnie de meubles anciens.

— Vous êtes ici chez vous.

Burt reste dans l'embrasure de la porte sans entrer. Après la remise des clés aux nouveaux occupants, le directeur et l'agent secret se préparent à se retirer quand le cellulaire de celui-ci sonne. Il répond :

— Burt

— ...

— Intéressant!

— ...

— Amenez-le-moi, ça urge. Utilisez le *stealth* B4 s'il le faut, *top* priorité.

Clic.

Mc Gale ajoute à l'intention de ses invités :

— Reposez-vous. En attendant, M. Burt et moi avons beaucoup à faire avec nos amis scientifiques, les reporters et les hautes autorités. Aussitôt cela réglé à cent pour cent, je viendrai vous rejoindre. Entre-temps, je vous fais monter quelque chose pour vous soutenir. Et bientôt, nous ferons le point ensemble… dit-il avec son généreux sourire charmeur.

Sue Haves :

— À plus tard, Monsieur Mc Gale. Merci pour votre aimable attention.

Sur ce, Burt et le professeur de Cambridge se retirent. L'agent aux yeux verts, lui, en profitera pour donner quelques instructions à ses collègues et faire son rapport à ses supérieurs.

Le directeur retourne à l'auditorium et constate le tohu-bohu général. Tous essayent de parler en même temps. De quoi devenir maboul. Les reporters se mêlent aux scientifiques, les scientifiques aux reporters, la tour de *baboul*, quoi!

Le représentant du HMSS entre dans la grande salle et fait signe à Mc Gale de le rejoindre. Ils s'entendent sur un plan de match concernant les journalistes et les hommes de science. Surtout pour les reporters. Ils conviennent que Mc Gale s'adressera à ses collègues et Burt aux journalistes. Les deux acoquinés montent sur la scène de l'auditorium d'un pas déterminé et décidé. Tous les regards convergent vers eux et l'officier en chef en profite. D'une voix autoritaire de stentor soutenue légèrement de son index, pas trop tout de même, il sait garder ses munitions phalangiennes. Burt s'adresse à tous les participants :

— Messieurs, je me présente : Mikel Burt, représentant du HMSS. J'ai comme mission d'assurer la sécurité sur les événements en cours. Ce que je vais dire vous concerne tous. Depuis peu, un embargo sur tout le campus est en vigueur. Inutile de tenter de communiquer avec l'extérieur. Le satellite SBC2c, pour Satellite Brouilleur de Communications deuxième génération complète, brouille actuellement toutes les transmissions. Le complexe universitaire est sous l'autorité totale et discrète des militaires. L'armée est à un niveau d'alerte rouge, c'est-à-dire super maximale. Personne ne peut sortir, ni entrer dans la zone tant que nous n'aurons pas obtenu une explication plausible reliée à ce phénomène. Quand j'aurai plus d'information,

et il balaie l'assistance de son index,

— nous vous convoquerons pour vous en aviser. Le professeur Mc Gale a, quant à lui, la responsabilité des relations avec vous, messieurs les scientifiques. Vu l'importance de la situation, je vous demande (ici, il change l'intonation de sa voix pour qu'elle soit plus insistante) votre collaboration. Professeur Mc Gale.

Un brouhaha parcourt la salle.

Le directeur tente de rétablir l'ordre et surtout d'avoir l'attention :

- Messieurs, s'il vous plaît… Messieurs.

Quand Mc Gale juge qu'il a quatre-vingt-dix-huit pour cent de l'attention, il énonce sur un ton doctoral :

— Chers collègues, messieurs les journalistes, M. Burt a entièrement raison sur l'unicité de ce phénomène.

Il nuance sa voix pour qu'elle soit rassembleuse et poursuit :

— Chers collègues, j'appelle ici votre sens professionnel et vos valeurs humanitaires pour qu'ensemble nous puissions lever le voile sur cette énigme. Main dans la main, nous devons résoudre ce problème le plus rapidement possible. Nous avons comme responsabilité d'étudier les graphes des appareils de mesure et d'en décortiquer le contenu. Vous comprendrez que cet événement perturbe toute la planète, pas seulement votre pays.

Il poursuit son introduction en glissant légèrement sur une note emphatique :

— En fait, cette manifestation a des répercussions sur la totalité du genre humain. J'ai ici, devant moi, des scientifiques, des scientifiques-humains qui vont s'unir pour résoudre un problème humain et non pas un problème de frontières.

Il ajoute avec son sourire charmeur :

— Nous allons-nous diviser la tâche en trois équipes, lesquelles se rapporteront respectivement aux professeurs

Mibevre, Krimminski ainsi qu'à moi-même. Premier point, vous comprenez mieux que quiconque l'importance de la coordination du temps sur la planète. Inutile de vous rappeler les conséquences en vies humaines et désagréments qu'engendre une dysfonction des appareils de mesure du temps. Deuxième point, il faut analyser tous les enregistrements des appareils de mesure et colliger toutes ces informations et, ultimement, en faire la synthèse. Et finalement troisième point, Messieurs, je m'adresse à votre esprit scientifique, unissons nos efforts et ne perdons pas une minute.

Une rumeur parcourt la salle et Mc Gale et Burt en profitent pour se retirer, satisfaits d'eux-mêmes et maintenant assurés que les scientifiques ont compris le message. Mibevre rejoint le duo en bas de la scène.

— Écoutez-moi bien et ouvrez toutes grandes vos oreilles, peste Mibevre. Il faut se rendre à l'évidence : personne d'autre qu'eux ne peuvent, en s'embrassant, dérégler les horloges, et ça, monsieur, c'est une certitude… Ha ! ha !… Je suis persuadé qu'un facteur humain entre en jeu dans ce phénomène. Aussi, je suggère de procéder à un test d'ADN pour confirmer ce point. Je suis le seul biophysicien ici et je pense qu'il serait intéressant de voir où cela nous mènera.

Pendant que Mibevre explique son point de vue, une image se dessine dans la tête du directeur et de l'agent secret : Mibevre, en professeur Tournesol[9], avec ses lunettes rondes cerclées; il ne lui manque que le pendule. Mc Gale, sceptique, ne veut pas le laisser paraître :

— Mon cher Mibevre, je suis cent pour cent d'accord avec vous. Il nous faut tout envisager, ne rien oublier; après tout, c'est un phénomène sans précédent. Vous avez raison, votre hypothèse n'est pas à négliger. Procédez immédiatement. Je vais faire en sorte que tous les plus grands laboratoires soient mis prioritairement à votre disposition.

---

[9] Personnage de Hergé dans les aventures de Tintin

...LES UNITÉS DE TEMPS. L'UNITÉ FONDAMENTALE DU SYSTÈME INTERNATIONAL EST LA SECONDE, JADIS DÉFINIE COMME LA 86 400^E PARTIE DU JOUR SOLAIRE MOYEN... LES TROIS MULTIPLES LÉGAUX DE LA SECONDE SONT LA MINUTE (60 S), L'HEURE (3 600 S) ET LE JOUR (86 400 S). TOUTEFOIS, DIVERSES UNITÉS, NON LÉGALES, SONT UTILISÉES COURAMMENT, EN PARTICULIER : LA SEMAINE, LE MOIS, LE TRIMESTRE, L'ANNÉE, LE SIÈCLE. LEUR DURÉE N'A PAS UNE VALEUR CONSTANTE (EXCEPTÉ LA SEMAINE)...

Durant ce temps, à l'ONU, tous les ambassadeurs de tous les États tiennent une réunion extraordinaire. Après tout, tous les pays vivent des inconvénients provoqués par l'arrêt des horloges. Ils naviguent tous dans le même bateau temporel. L'interruption des appareils de mesure du temps d'un pays sclérose la totalité des opérations de ce pays. Tous les secteurs d'activités éprouvent des perturbations : économie, aviation, activités maritimes, transport, informatique, etc. Les problèmes que causent les défaillances que les horloges d'un pays peuvent subir se trouvent largement compensés par le réseau tissé entre les autres nations. Si, par contre, la globalité des pays connaît un dysfonctionnement de leurs mécanismes de mesure du temps, cela affecte l'ensemble du réseau mondial. Ils prennent conscience qu'il n'y a pas exclusivement que les pays industrialisés et mieux nantis qui éprouvent des ratés temporels, mais c'est la totalité de la planète qui se trouve sclérosée à cause de l'arrêt de la mesure du temps. Bref, les trotteuses se rebellent. Les tic tac entrent en grève chacun dans leur coin. Certains par ci, d'autres par là. Lorsqu'on les sépare l'un de l'autre, ils ont perdu leur sens temporel. Tic tac signifie espace-temps. Tic seul représente une manie dans la répétition d'un geste recommencé involontairement. Tac seul, un homophone de tact : une réponse pertinente. Est-ce pour cette raison qu'ils vont si bien ensemble? Ils se répondent du tact au tact quand ils font tic tac!

Au même moment à l'ONU, New York, le délégué des Zétazunies, Paul Brimer, en des termes à peine voilés, accuse son vis-à-vis de la Chine, Pyng Pông. Il insinue que la Chine est à l'origine de ce phénomène pour mieux exercer son emprise sur la terre : une sorte de péril jaune, en quelque sorte. À l'instant où l'ambassadeur des Zétazunies termine son laïus, la lumière du micro du délégataire de la Chine s'allume. Pyng Pông utilise de son droit de réponse pour se défendre des accusations de Paul Brimer. Dans une allocution sibylline, Pông inculpe son « farce à farce » coréen, Chu En Lai, d'hégémonie. Lai profite de son droit de réponse pour se disculper des incriminations de Pông pour l'incriminer... Et ainsi de suite jusqu'au représentant de la Papouasie-Orientale-Disparue pour....

Le seul pays à n'avoir personne à qui faire porter le fardeau de cette catastrophe est le Canada. Son représentant est arrivé en retard à la réunion extraordinaire du conseil de sécurité. Le représentant du Canada n'avait, de toute façon, personne à qui faire porter le blâme, les dix provinces n'ayant pas réussi à s'entendre sur un plouc émissaire.

À l'UTL, dans la salle où tous les scientifiques et les reporters affichent présents, l'ambiance s'apparente à celle d'une kermesse. Tous pinaillent en même temps, y allant de théories qui versent vers des extrapolations, qui les mènent en conjectures, qui se déplacent en spéculations, glissent en interprétations et dérapent en supputations qui circonvolutionnent sur une nouvelle hypothèse qui...

Les appareils, qui ont enregistré la prestation de Sue et Sissy, ont été vidés de leur contenu afin d'être étudiés. Les scientifiques se répartissent la tâche en plusieurs comités restreints pour analyser, en fonction de leurs champs de compétences, le résultat des instruments. La lecture de tous les graphes ne révèle rien d'anormal quant aux deux amoureux québécois. Spectrographe, détecteur de pulsations cardiaques, thermographe : rien ne démontre la moindre anomalie. Tous les appareils installés à l'UTL s'entendent à l'unisson : S & S sont deux personnes en parfaite santé qui ne présentant aucune déficience. Cela provoque la consternation la plus totale.

Mc Gale et Mibevre rejoignent les scientifiques et grimpent sur l'estrade.

Les journalistes épient ce que les hommes de science racontent. Ils consignent tout élément qui pourrait faire un bon papier dans l'éventualité où l'embargo serait levé. Pourtant, ils en ont à se mettre sous la dent :

Primo, ces deux personnes peuvent arrêter les horloges en s'embrassant.

Deusio, tout le gratin scientifique est réuni.

Tercio, le phénomène leur échappe.

Quatro, l'armée et les services secrets sont réquisitionnés.

Cinco, la presse est muselée.

Facile à comprendre qu'il y a matière à publier une *primeur* explosive. Comment faire pour communiquer avec la salle de presse? Tel est le dilemme. Aucune cabine téléphonique ne fonctionne. Les cellulaires, en quarantaine, affichent « hors service » depuis que Mikel Burt a installé son satellite brouilleur de communication (sauf le sien, bien sûr), personne ne peut sortir ou entrer : l'embargo quoi! Quelques journalistes très futés comprennent que l'enjeu est de faire sortir l'information, quitte à s'allier avec des compétiteurs.

Aussi, Joan Berardelli de *Kiwis Match*, Germina Bellachick de *La Presse* et John Sneak de *Niouse Weique* complotent pour trouver une solution.

Germina Bellachick suggère qu'une fausse maladie lui permettrait de sortir et de communiquer avec les trois salles de presse. Elle propose de prendre un comprimé qui simulera les symptômes d'une crise cardiaque, produit qu'elle possède dans sa trousse de voyage.

Les trois futés comparses se dirigent vers sa maison mobile. Ses collègues ne s'étonnent pas de la voir tramer avec des concurrents. Ce n'est pas la première fois que l'ingénue Québécoise réussit là où les autres échouent. Dans l'autocaravane, elle sort le produit de sa trousse de voyage. Avec une bonne bouteille de vin, elle trinque avec eux au succès de l'entreprise. Elle ingurgite le comprimé. Encore quelques rasades de *vino* et les effets se révèlent par des tremblements, des convulsions, de la bave à la bouche; il n'en faut pas plus pour que toute l'équipe la transporte d'urgence vers la sortie. Au poste de garde, les plantons sont pris de court. Ils ne savent que faire devant les récriminations de Berardelli et de Sneak. Ils font venir d'urgence une ambulance militaire et la belle Bellachick réussit un nouveau tour de passe-passe à la Houdini.

Durant ce temps, Mibevre en profite pour se rendre aux appartements de Sue et Sissy.
Toc, répété deux fois.

— Entrez.

— Bonsoir, je m'excuse de vous déranger, puis-je entrer?

— Heu…, bien sûr, entrez…

— Je regrette de vous importuner. Vous comprenez qu'avec la situation présente et l'effervescence qui règne, je n'ai pas eu le temps depuis que nous sommes arrivés de m'entretenir avec vous. Mes collègues, dans la salle de réunion, évaluent toutes les théories et autant avouer que quand ils évaluent, ça veut tout simplement dire qu'ils n'ont rien à cogiter. … ha, ha!... C'est le mystère le plus complet sur ce phénomène auquel vous êtes mêlés, c'est indubitable. Aussi, voici mon idée personnelle : un test d'ADN pourrait nous être utile dans le cas présent, évidemment avec votre permission.

Sue et Sissy terminent un repas cosmopolite : une pizza anglaise, cuisinée par un chef chinois, d'un restaurant grec. Ils se regardent embarrassés :

— Si ça peut éclairer la situation et aider vos collègues, avec plaisir. Est-ce… Est-ce que ça fait mal? Ajoute Sissy Phasolle tout de go comme pour faire disparaître au plus vite l'inéluctable.

Mibevre, les yeux amusés derrière ses lunettes tournesoliennes :

— Mais non, pas du tout. Je comprends que vous soyez troublés, mais non, pas du tout, il faut seulement me fournir un cheveu chacun.

— Et cela prend du temps pour connaître les résultats, demande Sue Haves?

— Avec les moyens mis à notre disposition, et vu la gravité mondiale du problème, demain matin nous saurons à quoi nous en tenir concernant votre ADN.

— Est-ce à dire que nous serions anormaux, professeur?
s'informe de à son tour Sissy Phasolle.

— … ha, ha!... Anormal? Considérons, pour l'heure, que c'est
inapproprié. Vous êtes dotés, bien entendu, d'un don que
d'autres ne possèdent pas et c'est ce que nous essayons de
comprendre. Soyez assurés que vous serez les premiers mis
au courant des résultats qui seront, bien sûr, confidentiels.

Après l'explication de la procédure du test, Mibevre sort de sa
poche deux sacs de plastique, tire un cheveu sur les têtes de Sue et
de Sissy avec les aïe de circonstance et dépose les échantillons
dans les contenants identifiés à chacun des propriétaires du
prélèvement. Une fois les sacs replacés dans sa poche, il ajoute :

— Je vous laisse vous reposer, vous devez en avoir
grandement besoin. Je reviendrai avec les conclusions à la
première heure demain matin. À demain, et merci!

— À demain professeur! disent les cobayes, dépassés par les
événements.

Plus tard, le toc se manifeste deux fois sur la porte de chambre du
couple.

— Entrez.
La pizza cosmopolite avait disparu à la satisfaction des deux repus,
et ils voient le directeur Mc Gale entrer.

— Professeur Mc Gale!

— Bonsoir, je me permets de venir vous visiter, car je pense
que vous devez vous sentir bien seuls loin chez vous. En
bon hôte que je suis, je ne puis manquer à mes devoirs.
Aussi, pour vous accueillir dignement et surtout faire votre
connaissance, je vous propose de prendre un apéro chez
moi. Qu'en dites-vous?
Sue et Sissy se regardent et d'un commun accord.

— Avec plaisir professeur.

— Appelez-moi Rick, s'il vous plaît.
Après quelques corridors, ils entrent dans les appartements de
Mc Gale. C'est une surprise pour Sue et Sissy de constater que les
murs s'effacent sous l'amoncellement de livres, revues et
périodiques traitants aussi bien de science que de musique.

Plusieurs guitares attendent sur leur trépied la venue de leur maître et ami. Une horloge grand-père berce le temps au son du mouvement alternatif du balancier. L'hôte les entraîne vers un salon aménagé style country :

— Venez, venez, installez-vous par ici, en leur désignant un siège.

Il pose trois verres et sans-façon, les emplit à 70 % de Jack Daniel. Sur la table de service reposent plusieurs revues.

— *Sto lat*.

— Heu… *Sto lat*? (s)

— Oui, *Sto lat*. En polonais. Ça veut dire « cent ans »; j'aime bien cette façon de mesurer la santé. Il faut considérer, tout même, que c'est une aventure extraordinaire que nous vivons en ce moment. Jamais, dans l'Histoire, nous n'avons expérimenté de tels moments, c'est absolument incroyable. Cela défie 110 % de l'entendement scientifique : que deux personnes s'embrassent et tous les systèmes de mesures du temps s'arrêtent sur toute la planète, en même temps, c'est… c'est inimaginable.

— Vous savez prof… heu Rick, vous savez, avant qu'on vienne nous chercher, nous étions totalement ignorants au sujet de ce phénomène.

Autre rasade de Jack Daniel.

— Vous avez découvert quelque chose? demande Sue Haves.

— À vrai dire, rien pour le moment, nous avons décrypté les renseignements de tous les appareils de télémétrie installés durant votre exhibition et n'avons trouvé rien de particulier. Il ne nous reste plus qu'à attendre le résultat de l'analyse de votre ADN. Pour l'instant, profitons ensemble de l'occasion qui nous est offerte pour faire connaissance. Jouez-vous d'un instrument de musique?

Sue Haves, prise de court :

— Heu… Un peu, du piano.

— Intéressant.

Et le regard de Mc Gale se pose sur Sissy Phasolle.

— Moi, un peu de guitare, mais je n'ai pas de talent.

— Prends-toi une guitare, tiens celle-là, la Norman.

En même temps, l'hôte en saisit une autre.

— Mais Rick, je ne sais pas jouer avec un autre musicien.

— Prends-la quand même, tu vas voir, c'est facile.

Sissy Phasolle se sentit mal à l'aise et gêné.

— Voyons voir. Tu connais l'accord de Sol, La et Mi mineur?

— Oui, je les connais.

— OK, compte avec moi, à voix haute 1, 2, 3, 4 et 1 sur l'accord de Mi mineur.

— On commence, 1, 2, 3, 4 et 1, *punche* plus fort sur le temps 1.

Tout en jouant :

— Tu as le sens du rythme. Maintenant, change sur le temps 1 pour l'accord de La

— Oui, très bien. Et l'on ajoute l'accord de Mi mineur, 3, 4 et 1.

Pendant que Sissy Phasolle peine avec des efforts de concentration soutenue, le professeur-musicien improvise un petit r*iff* sur le tempo de Sissy Phasolle plein de ravissement. C'est la première fois qu'il joue avec quelqu'un d'autre et il *entend* ce qu'il fait.

Tout en jouant, le professeur remarque que Sue Haves s'intéresse à un article d'une revue posée sur la table. À fin de leur premier duo de Sissy Phasolle, le directeur suggère de lever son verre pour fêter cela. Après le *toast*, Sissy Phasolle s'informe sur l'endroit du « petit coin » et il en profite pour s'y rendre.

Mc Gale seul avec Sue Haves continue à jouer de la guitare :

— Il me semble qu'un article vous intéresse dans cette revue?

— Pendant que vous jouiez, je regardais un article sur l'acupuncture. En passant, vous lui avez vraiment fait plaisir avec ce que vous venez de lui apprendre. Quand il joue seul, il réalise de si belles choses.

— Tout le monde peut jouer d'un instrument avec quelques notions. Votre ami possède le sens du rythme. L'acupuncture vous intéresse?

— Relativement, Sissy et moi avons consulté le même thérapeute chinois, un vieux monsieur du nom de Bon San Tang; il est très bon.

— Vous vous souvenez quand vous l'avez rencontré?

— La semaine passée, mardi… oui j'en suis sûre, mardi.

— Avez-vous un problème de santé quelconque?

— Non, on nous a dit que l'acupuncture permet de rééquilibrer les énergies et nous nous y sommes intéressés.

— C'est fascinant ce que vous racontez, ses traitements pourraient, en sans doute, me faire du bien.

Sissy Phasolle revient sur ces entrefaites et chacun en profite pour terminer son verre. Les effets de l'alcool commencent à se faire sentir.

Sur un élan de gaieté et de gêne en même temps, Sue Haves :

— Rick, c'est curieux que dans un endroit où le temps s'impose sûrement comme une obsession, l'horloge de votre bureau affiche deux minutes en retard.

— Oui, Rick, deux minutes et dix-huit secondes, affirme Sissy Phasolle en regardant Sue qui confirme par un hochement de la tête.

Le directeur est décontenancé, ni l'un ni l'autre ne porte un bracelet-montre et ils arrivent à dire l'heure à la seconde près. Il sent que l'on se paie sa tête.

— Écoutez, je veux bien vous croire, en bon gentleman, mais personnellement, je ne porte pas grande attention à l'heure, il en va tout autrement au laboratoire. Attendez, j'appelle Peter, mon assistant, pour voir ce qu'il en pense. Il décroche le combiné :

— Allo, Peter, ici Mc Gale…

Pendant que le directeur parle avec son assistant, Sue Haves regarde Sissy Phasolle avec des yeux interrogateurs.

— Toi aussi, Sue, tu sens l'heure en toi.

— Oui, et c'est récent, l'heure ne m'a jamais préoccupée, mais depuis la semaine dernière, c'est différent.

— C'est également pareil pour moi depuis la semaine passée.

Mc Gale qui termine sa conversation au téléphone :

— Incroyable!, s'écrie Mc Gale stupéfait.

Il raccroche et l'alcool ne lui fait plus d'effet; il plonge son regard dans ceux Sue et Sissy et s'exclame avec un sourire enfantin :

— Prodigieux! Vous avez, tous les deux, cent pour cent raison. Comment faites-vous?

— Nous l'ignorons. Depuis la semaine passée, nous connaissons à tout instant l'heure qu'il est, affirme Sissy Phasolle en regardant Sue Haves qui opine de la tête.

— C'est même agaçant... avez-vous remarqué qu'aucune horloge n'indique l'heure correctement? continuellement en avance ou en retard de quelques minutes.

...LES HORLOGES PROPREMENT DITES SONT DES DISPOSITIFS CHRONOMÉTRIQUES SUSCEPTIBLES D'UN FONCTIONNEMENT ININTERROMPU ET PROLONGÉ. ON DISTINGUE TROIS GRANDES CLASSES : LES HORLOGES MÉCANIQUES, LES HORLOGES ÉLECTROMÉCANIQUES ET LES HORLOGES ÉLECTRONIQUES, OÙ LES SIGNAUX SONT CRÉÉS PAR UN OSCILLATEUR STABILISÉ (À QUARTZ, PAR EXEMPLE) AVEC AFFICHAGE NUMÉRIQUE...

Dans le bleu de l'azur, à l'intérieur du vaisseau spatial Jarlanger, la cosmonaute Karolina Simarov dirige les opérations d'arrimage de la navette ayant à son bord cinq coéquipiers et une cargaison bien singulière...

Karolina Simarov s'est hissée au rôle de commandante en chef par la force de son caractère. Pas facile pour une pétulante rousse dans un milieu machiste de traverser toutes les épreuves de sélection et de subir les railleries de ses compétiteurs-collègues. Les plaisanteries, on l'aura deviné, visaient sa magnifique anatomie aux formes généreuses. Que voulez-vous, la nature l'avait avantagée *davantage d'avantages*[10] par rapport à la moyenne de ses semblables. Avec son sens de la répartie, elle avait su calmer avec diplomatie leur taux de testostérone. Ce qui créait ainsi une ambiance de franche camaraderie, qui valait en silence penaud, l'admiration de ses collègues.

— Jarlanger à Huston.
— Ici Huston, nous vous écoutons Jarlanger.
— La navette est correctement arrimée à la station orbitale l'ISS et nous entreprenons l'ouverture de la soute. Je communique avec vous sitôt qu'il y aura contact visuel avec celle-ci.

Un peu plus tard.

— Huston, ici Jarlanger, vous nous recevez?
— Cinq sur cinq Jarlanger.

---

[10] Boby Lapointe

— Huston, nous avons un contact visuel. Tout est en règle. Nous sommes prêts pour la phase 5.2. Nous attendons vos instructions, Huston.

Des centaines de soucoupes métalliques s'empilent dans un conteneur qui loge dans le ventre de la navette spatiale. Ils s'alignent comme des biscuits dans une boîte à biscuits.

L'étape 5.2 consiste à extraire de la soute le conteneur à l'aide du bras canadien et à le placer à l'extérieur de la navette dans une position stationnaire bien précise.

— Pchittt, Jarlanger, ici Huston.
— Parlez Huston, Pchittt.
— Pchittt, Pchittt, vous avez le feu vert pour la phase 5.2, Pchittt.
— Pchittt, phase 5.2 en route Huston, Pchittt.

Simarov donne l'autorisation à ses collègues qui meurent d'envie de procéder à la manœuvre. Un coéquipier manipule le bras canadien, du poste de pilotage, de façon à ce que celui-ci agrippe la caisse métallique et très délicatement la retire de l'apparcil.

Simarov, une fois le conteneur positionné :

— Pchittt, Huston la phase 5.2 est réussie avec succès, nous sommes prêts pour la phase 5.3, Pchittt.

Quelques secondes plus tard.

— Pchittt. Procédez à 5.3 Jarlanger, Pchittt, Pchittt.

Le collègue de Simarov libère le conteneur de la prise du bras canadien et rétracte celui-ci vers la soute. La boîte métallique flotte au-dessus du véhicule spatial. Simarov allume les minis fusées pour se positionner à une distance sécuritaire du conteneur qui flotte dans l'espace. La distance atteinte, elle actionne à nouveau les rétrofusées pour immobiliser l'orbiteur.

À l'intérieur de la navette, au signal de Simarov, un autre astronaute appuie sur un commutateur. On peut, du poste de pilotage, à travers les hublots, voir le conteneur-boîte-de-biscuits. Le bouton a actionné l'ouverture des pans du conteneur qui se rétractent sur les côtés de ladite boîte.

Sans les Pchittt.

Simarov :
— Huston, prêt pour la phase finale.
— Jarlanger, nous attendons le feu vert du président.
Pourvu que les singuliers amoureux ne s'embrassent pas, car toutes
les horloges des ordinateurs flancheraient et il faudrait
recommencer la programmation de l'orbiteur. Simarov ignore ce
détail.

C'est avec gaieté, exprimée avec son large sourire, que Simarov
donne les instructions pour la phase finale. Pour elle, cela signifie
le retour sur Terre et surtout des vacances bien méritées avec…

Les soucoupes, dans le conteneur, résultent de l'invention d'un
mathématicien du nom de Michel Efcinq. Avec un tel nom, on
pourrait penser qu'il est natif d'Europe. Mais non, c'est un bon
Québécois bien de chez lui, né d'une mère du Lac Saint-Jean et
d'un père abitibien. Comment a-t-il réussi avec de telles origines
pareilles à porter un nom semblable? Mystère. Toujours est-il
qu'Efcinq entretient deux passions dans la vie : les mathématiques
et les échecs.

Michel Efcinq arrive toujours à la première heure le matin au Café
Olé. Il occupe rituellement la même table du sympathique café.
Pour lui, la cigarette est un « sérotonynergique » qu'il accompagne
de cafés. Rien de tel pour plonger dans son univers de prédilection.
Installé à sa table, il sort livre de maths, calculatrice, crayon, et du
papier. L'homme est heureux ainsi. Après une séance de
mathématiques de deux ou trois heures, il s'éclipse et revient au
Café Olé à seize heures pour jouer aux échecs avec son joueur
préféré, un joueur qui aime se faire appeler Capablanca. Les parties
se partagent : tantôt pour le pseudo Capablanca, tantôt pour Efcinq.
Efcinq avait imaginé un projet qui ouvrait la perspective de
parcourir l'univers en utilisant comme source d'énergie le vide
sidéral. Autant dire une fontaine intarissable. Son plan : envoyer
une série de petits véhicules qui se succéderaient à une distance qui
leur permettrait de communiquer entre eux et ainsi connaître en

temps réel les confins du cosmos. Le premier, mis en orbite, transmet son signal au prochain qui fait la même chose avec le dernier envoyé (le plus près de nous), qui nous relaie la communication de tête. La Terre se trouve, de cette façon, en communication presque directe avec le vaisseau de tête. Une sorte de toile Internet intergalactique.

L'hypothèse de propulsion imaginée par Efcinq repose sur le principe de l'échange entre le vide et la pression interne du vaisseau, faisant en sorte qu'au début, la vitesse est lente et augmente de façon exponentielle à mesure que le cycle se répète. Il a conçu ce projet sur un sophisme : l'univers déborde de vides. Le remplacement entre le plein et le vide engendre la force motrice. Comme l'univers est rempli de vide, la source de carburant est inépuisable. Il venait d'inventer le premier moteur à vide. Au départ, cela avait créé toute une commotion chez les grands de la NASA qui se heurtaient carrément à l'antinomie suivante : faire le plein de vide. Du paradoxe, ils leur fut facile de parodier Platon : je suis vide donc je suis plein.

La NASA avait immédiatement souscrit au projet. La mise en exécution était devenue une priorité monopolisant tous les budgets de l'organisme. Après tout, ne s'agissait-il pas de l'entreprise du siècle : cartographier l'univers et une fois aux confins connus de celle-ci, nous révéler ce pan de notre ignorance et dépasser la lumière résiduelle du big-bang, c'est-à-dire, à quinze milliards d'années-lumière de l'explosion originelle. Qu'y a-t-il? Est-ce le vide du vide? Beaucoup de questions restaient dans les cartons de la NASA, et résoudre celles-ci redorerait le blason de l'institution.

Espace était ravie. Enfin, on allait la découvrir dans toute sa dimension. Sa féminité sidérale garde sûrement en réserve quelques petits secrets... Qu'il est grand le mystère féminin!

Revenons à l'UTL, Burt court dans tous les corridors, surtout dans ceux qui mènent à la chambre de Sue et de Sissy. Il y a urgence. On l'avait prévenu qu'aucun arrêt des horloges ne serait toléré et, par conséquent, il devait prendre toutes les mesures nécessaires pour localiser le couple. Son étoile pourrait ternir s'il ne les trouvait pas; aussi, il court à toute vitesse, bouleversant tout sur son passage.   Son index ne l'aide aucunement. Arrivé aux appartements de Sue et de Sissy, il frappe à la porte à l'aide de son majeur, attend et se dit : surprenant pas de réponse. Il repart de plus belle, vite, parler à Mc Gale pour savoir où ils sont en ce moment. Son portable sonne. Toujours en courant :

— Ici Burt, j'écoute.
— Burt, John Willamson de la Maison Blanche, où en êtes-vous, nom de Dieu?

Poursuivant sa course :

— Je ne les ai pas encore retrouvés, ce qui ne devrait pas tarder; quelques minutes et je vous rappelle. Clic.

Entre-temps, chez le directeur à la guitare.

— Je vous sers un autre verre? C'est un phénomène vraiment curieux. Pensez-vous que cela a un rapport avec le vieil acupuncteur?
— C'est possible, répond Sue Haves. Qu'en dis-tu, Sissy?
— Je partage ton avis. Dans mon cas, cela a débuté après ma dernière rencontre avec lui.

Mc Gale :

— Il me manque des glaçons, je reviens dans quelques minutes.

Et sur une pirouette, il sort.

— Sissy, cela a vraiment commencé après ton traitement d'acupuncture?
— Tout comme toi, Sue. À la sortie de chez M. Tang, je trouvais bizarre que chaque fois que je posais par hasard les yeux sur une horloge, j'éprouvais le sentiment que l'heure n'était pas juste, toujours un peu en avance ou un peu en retard comme nous avons dit.
— C'est également la même chose pour moi Sissy, comme je ne suis pas minutée à la minute près, il ne m'est pas nécessaire de regarder l'heure régulièrement pour savoir si je retarde à un rendez-vous. De plus, à l'intérieur de moi, je suis continuellement consciente du temps.

— Tu sais Sue, c'est devenu agaçant à la longue toutes ces horloges détraquées. On dirait une conspiration, c'est comme si le monde entier s'était donné la main pour afficher la mauvaise heure. Rien de grave, une minute par ici, une minute par là.

— Tu as raison et pour en rajouter, j'ai pris conscience que l'heure est indiquée partout : sur le micro-ondes, dans l'auto, sur le téléviseur, sur l'ordinateur, à la radio, dans tous les endroits publics. Sissy, c'est une véritable obsession : connaître l'heure en tout temps. Ça ne la fera pas passer plus vite!

— Je constate qu'avant le traitement, une minute de plus ou de moins ne me dérangeait pas; mais maintenant, il faut que je me force pour ne pas poser mon regard sur une horloge.

Et les yeux rieurs de Sissy.

— Par contre, je sais une chose Sue : c'est toujours l'heure de t'aimer.

Ils se regardent et rapprochent leurs lèvres amoureuses pour s'embrasser…

La porte s'ouvre, après les tocs d'usage expédiés en vitesse. Ce n'est pas l'heure aux politesses. L'agent Burt entra en trombe. En les voyant :

— Noooooon arrêtez, surtout pas ça…

Sue et Sissy le regardent, figés par l'entrée-surprise.

— ?

— Non, arrêtez, pas cela.

— Que se passe-t-il, Mikel, on ne peut plus s'embrasser maintenant?

— Je vais vous expliquer : terminer les embrassades jusqu'à nouvel ordre.

— Quand même, vous ne trouvez pas que vous y allez un peu fort, Mikel?

— Écoutez, déclare-t-il avec son index plus persuasif que jamais, nous avons retrouvé votre acupuncteur, il nous a démontré que son traitement peut activer l'horloge biologique d'un patient, et vous êtes les premiers à en bénéficier.

— Mikel, nous venons justement de faire le lien avec M. Mc Gale qui suggère que l'appréciation du temps est différente pour nous, depuis que nous avons rencontré M. Bon San Tang. Mais, de là à ne plus s'embrasser.

— Le directeur entre sur ces entrefaites.

— Burt, quelle bonne surprise!

— Vous ne pouvez pas mieux dire. Un instant, je dois faire un appel urgent.

Il sort son cellulaire et...

— Ici Burt, je les ai retrouvés, vous pouvez procéder, je m'occupe de tout.

S'adressant à Sue et à Sissy :

— Dorénavant, il ne faut plus vous embrasser, et ce, jusqu'à nouvel ordre, soutenant son ordre de son index pointeur. L'agent s'étonne de la complicité de son doigt. Je dois vous parler, allons dans votre chambre.

— Bon, allons-y, répond Sissy Phasolle contrarié.

Ils se lèvent et saluèrent Mc Gale. Sissy Phasolle ajoute :

— Merci Rick pour la leçon de musique. Si nous pouvions remettre cela une autre fois, cela me ferait vraiment plaisir, vous savez.

— Tout le plaisir est pour moi, dit Mc Gale avec son sourire charmeur, quand vous voudrez. Je me considère comme votre obligé, vous avez beaucoup de talent.

— Merci! poursuivit Sissy Phasolle rouge de gêne.

Sue Haves l'accompagne.

Arrivés à leur chambre, ils s'assoient tous les trois autour d'une table; Burt, en homme d'action, entre dans le sujet :

— Je dois remettre un rapport à mon employeur. Comment puis-je lui expliquer qu'avec un baiser, vous pouvez arrêter toutes les horloges?

— Ça, nous l'ignorons.

— D'accord, mais quand vous vous embrassez, que se passe-t-il en vous?

Sissy :

— Hum... je parle pour moi. Sue confirmera si c'est la même chose pour elle, d'accord?

— D'accord.

— Depuis que je connais Sue, chaque fois que je la vois, pour moi le temps s'arrête, il n'y a qu'elle qui compte : plus de problèmes, plus de choses que j'aurais dû faire, de comptes à payer, plus de pensées pour le travail, plus de politique ou de problèmes mondiaux. Il n'y a qu'elle et, particulièrement quand je l'embrasse, seulement elle et rien d'autre, vous comprenez?

— Oui… Heu… oui, je pense… Et vous, Mlle Haves, chevrote timidement le géant à l'index dépité.

— Sissy a bien décrit la situation : je l'aime, il m'aime et rien d'autre ne compte. J'imagine que les traitements d'acupuncture ont pu nous donner une sorte de pouvoir qui fait que nos baisers dérèglent les horloges. Mais… mais comment expliquer ça? C'est en parlant avec le professeur Mc Gale que nous nous sommes rendu compte que les traitements auraient pu changer quelque chose en nous. Ce qui fait que tous les deux nous sommes au courant de l'heure exacte, sans consulter une montre. C'est la seule explication que nous avons à vous offrir. Qu'en pensez-vous?

— Autrement dit, si je résume, vous vous aimez profondément, et quand vous vous embrassez, plus rien ne compte; tous les deux, vous avez rencontré le même acupuncteur. Vous avez établi ce lien chez le professeur Mc Gale et vous connaissez l'heure en tout temps. C'est bien ça?

— Exact, on peut dire les choses ainsi.

Burt penche la tête, gratte son front dégarni et pense que son rapport ne contiendra pas beaucoup de pages. Il prend une inspiration et utilise son index, cette fois, timidement :

— Bien, je vous demande de ne plus vous embrasser jusqu'à nouvel ordre. Je comprends que vous vous aimez profondément et c'est normal de le démontrer, mais, en ce moment, il y a de grands enjeux mondiaux et vos élans amoureux les perturbent. Votre parole me suffira, d'accord?

Son regard se durcit :

— Inutile que je vous sépare ou que je vous mette en garde à vue, n'est-ce pas?

— Nooon, surtout pas ça, Mikel, s'exclame Sue Haves contrariée.

Sissy Phasolle acquiesce lui aussi en affichant un air ennuyé.

— Bien, dans ce cas je vous laisse et je vais faire mon rapport. Je vous revois demain à la première heure.

Il se lève, fait quelques pas en direction de la porte, s'arrête et se retourne :

— Passez une bonne nuit et vous avez compris, pas de…

— Oui, Mikel, répondent-ils dépités.

Après la conversation avec Sue et Sissy, Burt attendit ses assistants. Il leur avait donné des instructions pour qu'ils ramènent en priorité le médecin chinois qui avait pratiqué le singulier traitement sur Sue et Sissy.

Le portable de l'agent secret sonne, code cinq, sonnerie distinctive des autres priorités internes. Burt répond et est agréablement surpris d'entendre que ses agents ont réussi leur mission sans embûches. Ils confirment leur arrivée avec le colis-qui-parle-de-façon-bizarre. Ils ajoutent qu'ils seront devant l'UTL dans quelques minutes. Burt se place à la fenêtre et donne des consignes de sécurité. Il peut constater, de son poste d'observation, l'entrée de trois Suburban noirs dans la cour. Ils se comportent comme des Suburban des services secrets, c'est-à-dire que leur apparition affiche une attitude autoritaire et péremptoire. Encore une fois, ces magnifiques engins motorisés savent quand s'arrêter, où et de quelle façon se garer. Définitivement, je le répète, nous devrions tous en posséder un, pas obligatoirement de couleur noire.

L'armée a pris position. Les portières s'ouvrent et tous les secrets émergent en même temps. La dernière personne à sortir est de grande taille et se présente toute vêtue de soie vert anthracite. Elle arbore un signe oriental couleur or, faufilé sur le revers de son veston. Il se dégage de cette personne un air de sérénité. Les agents ont perdu leur flegme militaire et tous font courbette devant l'énigmatique personnage.

La meute de pygargues rapporteurs qui avait remarqué l'arrivée du mystérieux convoi salive à la vue de l'Oriental. Une autre fois encore, les soldats en rang forment une quintuple ceinture de sécurité autour des véhicules et de leurs occupants. Ce qui n'empêche pas les voraces volailles de l'information de faire tourner leur caméra et de brandir leur perche à micro. Ils surveillent, à l'affût, la moindre parole qui sortirait du cordon de protection.

Le secret en chef s'étonne de l'arrivée du singulier personnage. Il est tout intrigué. Ses secrets de service amènent le *colis* à son bureau.

En entrant dans la pièce, un assistant de Burt fait les présentations :
— Monsieur Bon San Tang, mon supérieur, Mikel Burt.
— Merci,   vous   pouvez   disposer,   tranche   le   chef autoritairement à son subalterne.
Il ajoute à l'intention du visiteur :
— Bonjour… Heu, dois-je dire Monsieur Tang ou Monsieur San Tang?
— Tang représente bien votre humble serviteur, votre Illustre.
— !!! Merci Monsieur Tang, bredouille Burt décontenancé et sans l'aide de son fidèle compagnon phalangien occidental.
— Votre humble serviteur est sensible à la délicate attention de votre Illustrissime
Cette fois, l'élocution de Burt est prise de court; il tente de se reprendre.
— Heu, je m'excuse au nom de… de tous mes hommes, mais l'urgence de la situation nous force à utiliser des mesures extraordinaires. J'espère qu'elles n'ont pas été trop contraignantes.
— Comme disait le sage Confucius « Si la montagne ne vient pas à moi, j'irai à la montagne ». Mais ceci ne s'applique pas à cette mésaventure-ci.
— Heu… bien puisque cela ne s'applique pas ici, nous trouverons sûrement une autre situation où elle conviendra.
— Votre modeste serviteur demeure toujours à votre disposition.

— Merci de votre collaboration. Permettez-moi de vous expliquer les raisons qui nous ont obligés à prendre de telles mesures. Vous auriez, il y a une semaine, soigné ou traité ou enfin… reçu deux patients. Nous les avons identifiées aux noms de Mlle Sue Haves et de M. Sissy Phasolle. Ces noms vous disent-ils quelque chose?

— Votre Illustre est parfaitement renseigné. Mon humble pratique a eu le privilège d'accueillir ces deux éclairées personnes.

— À votre avis, serait-il pensable que vos traitements aient pu modifier quelque chose chez elles?

— Il est possible que la science de mes vénérés ancêtres ait pu unir leur personne au grand plan cosmique, votre Illustrissime.

— Heu… Grand plan cosmique?

— Je vais mettre toutes mes énergies communicatives, sans dévoiler le secret professionnel, au service de votre grandeur. J'ai eu le privilège de recevoir vénérés patients. Ma modeste expérience a remarqué la fabuleuse complicité de ces deux merveilleuses personnes. Aussi, j'ai appliqué le traitement de concordance de mes honorables ancêtres. Il fait en sorte qu'elles communient continuellement à travers le temps, votre Vénéré.

— Est-il possible qu'elles connaissent l'heure exacte où qu'elles soient?

— Votre Illustre est très perspicace. Comme disait Boisvert[11] « Quiconque s'invente un futur sur le dos du passé, peut croire au présent ». Mais ceci ne s'applique pas ici.

— Heu… bien, puisque cela ne s'applique pas ici, nous trouverons sûrement une autre situation.

— Votre modeste serviteur est toujours à votre disposition.
Note de l'auteur : déjà entendu.

Mikel Burt poursuit. Il remarque un dessin sur le pan de l'habit de son invité :

— Que veut dire ce symbole, Monsieur Tang?

[11] Yves Boisvert : La prose de la poésie

— C'est le symbole de l'acupuncture : une aiguille et un dragon, Votre Sagesse.

— Est-ce possible que vos patients, comment dire… qu'ils puissent arrêter toutes les horloges en s'embrassant?

— Je ne possède pas de données sur le sujet. Les horloges n'étaient pas inventées au moment où mes illustres ancêtres ont découvert cette thérapeutique, Votre Clairvoyance.

— Merci de votre collaboration Monsieur Tang. Mes collaborateurs vont vous diriger vers votre chambre où vous pourrez vous sustenter et vous reposer. Nous nous reverrons sous peu. J'espère que votre séjour parmi nous vous occasionnera le moins de soucis possible et qu'il sera de courte durée.

— Ma réservée personne frémit de sollicitude.

Un babélisme sortit de la bouche de Burt :

— Merci de votre honorable collaboration, vénéré visiteur, se surprend à dire Burt, en s'empourprant, des sourcils au fond de sa rutilante calvitie.

Plus tard.

L'agent secret, perdu par les conjectures, a besoin d'aide. Il donne des instructions pour convoquer le professeur Mibevre. En attendant, il commence à rédiger son rapport.
Mibevre arrive au bureau de Burt. Sujet : Bon San Tang.

Un toc suivi de deux autres à la porte de Burt.

— Entrez.

— Vous m'avez demandé? questionne l'homme aux lunettes cerclées.

— Entrez professeur.

— Vous avez de nouveaux faits, s'informe l'homme de science tout excité.

— Oui, assoyez-vous, en indiquant un fauteuil. J'entre dans le vif du sujet professeur. Je viens de recevoir M. Bon San Tang. Ce nom ne vous dira rien, mais M. Tang est l'acupuncteur qui a traité Mlle Haves et M. Phasolle. Il prétend qu'il peut… comment a-t-il dit? Hum… quelque chose, à peu près comme ceci : « faire unir des personnes avec le plan cosmique », oui, c'est grosso modo comme ça… Vous y comprenez quelque chose à ce charabia, professeur?

— … Ha, ha!... Non pas vraiment. Par contre, il serait profitable pour nous que M. Tang nous fasse une démonstration de son savoir. Je crois comprendre qu'il s'agit d'une science orientale, n'est-ce pas?

— Il me semble, ajoute Burt frileux et sans certitude.

— Pourquoi ne pas en faire profiter mes collègues et tenter d'y voir clair?

— C'est une idée intéressante; j'organise le tout pour huit heures demain, cela vous va?

— Absolument Monsieur Burt. J'aimerais porter à votre intention que j'ai rencontré le couple. Je suis, à l'heure actuelle, la piste de l'ADN. J'attends les résultats sous peu et, bien sûr, je vous tiendrai au courant.

Sur ces paroles, Mibevre se retire.

Dans la grande salle où Sue et Sissy avaient effectué leur démonstration, les techniciens et leurs appareils s'affairent, à nouveau, à préparcr l'enregistrement de la prestation de l'Oriental. Au parterre, les scientifiques occupent, anxieux, leur place respective. L'estrade a été aménagée pour recevoir la présentation du patricien.

Sur la scène, une table de traitement attend l'omniscience de l'acupuncteur toujours élégamment vêtu de vert anthracite. Mibevre, au côté du médecin chinois, contraste avec son veston de velours noir et son blue-jean, prend la parole et s'adresse à l'assistance :

— Chers collègues, je vous ai convoqué pour vous présenter Monsieur… hum, comment dois-je dire… en regardant l'Oriental, Monsieur San Tang ou Monsieur Tang?

— Tang, tranche Tang.

— M. Tang est acupuncteur, et peut selon ses dires,

Il se tourne vers l'Oriental :

— vous me corrigerez Monsieur Tang si je rapporte mal vos propos.

Et il poursuit :

— M. Tang, peut unir les personnes avec le plan cosmique…

Un murmure parcourt l'auditoire incrédule. Sur l'entrefaite, Burt monte sur scène et reste en retrait.

— Monsieur Tang est disposé à partager avec nous son savoir qui pourrait éclairer la situation qui nous concerne tous. Avec votre permission… Monsieur Tang.

L'Oriental balaye l'assemblée du regard :

— Votre dévoué serviteur met à votre disposition sa modeste expérience. Pour faire démonstration à illustre assistance, j'ai besoin d'un aide. Monsieur Burt acceptera-t-il mon humble requête?

Le géant ne peut qu'acquiescer. Aussi, il se déplace vers le centre de la scène, timide.

Tang se dirige près de l'officier :

— Si glorieux collaborateur veut bien retirer ses vêtements à l'exception de son protège intimité.

Burt embarrassé s'exécute, gêné et retient sa respiration pour cacher son léger surplus abdominal.

— Si vénéré collaborateur veut bien s'allonger sur la table.

L'agent secret s'allonge et le patricien lui recouvre le bassin d'une couverture. Il badigeonne d'alcool les endroits où les aiguilles vont être placées. Les appareils enregistrent le tout. Pendant que les impassibles yeux noirs du Bridé plongent dans le vert de ceux du cobaye, il demande :

— Vous pas peur des aiguilles Monsieur Burt?

— Heu… non. Uniquement les balles perdues.

— Légère sensation seulement. Pas comme balle de fusil, lui murmure-t-il à basse voix avec un sourire neutre.

Il reprend sa ritournelle du : Vous allez? Et après que toutes les tiges de métal furent installées, il enjoint à son patient de se détendre, le temps que le traitement produise les résultats escomptés. Tang s'adresse à l'auditoire :

> — Pour que le traitement soit agissant, votre silencieuse collaboration être nécessaire. Une vingtaine de minutes suffira pour votre admirable patience.

En retrait et assis sur une chaise, Tang imite le Bouddha et attend. L'assistance se place en mode attente, elle aussi. Un patient silence accompagné du ronron des appareils de mesure soude l'ambiance.

Après une vingtaine de minutes, Tang se redresse et retire les aiguilles. Burt, qui n'avait pas bougé d'un poil de peur de déplacer une aiguille, s'en trouve maintenant libéré et en profite pour se lever et enfiler prestement ses vêtements.

Mibevre les rejoignit et passe à la partie pratique de la démonstration :

> — Monsieur Tang, merci de votre collaboration. Monsieur Burt, ressentez-vous un changement?
> — Non, rien de précis, sinon que je me sens détendu.
> — … Ha, ha!... Une petite question pour vous Monsieur Burt : Quelle heure est-il?
> — Neuf heures, sept minutes, trente secondes et une milliseconde, s'étonne à dire l'agent secret sans consulter sa montre.

Préalablement, le personnel de soutien de l'UTL avait installé une horloge numérique face à l'assistance, et reliée à la redoutable Timette. Burt ne pouvait la voir. Ébahissement général : l'appareil indique neuf heures, sept minutes, trente secondes et une milliseconde.

Une rumeur parcourt la salle, les scientifiques et tous les techniciens se regardent, complètement désarçonnés.

Viktor Krimminski, le premier, se lève, suivi de tous les autres; ensemble, médusés, ils offrent une ovation à l'Oriental et à son patient improvisé.

On tenait, là, une preuve irréfutable. Burt, comme les artistes sur scène au final, de la main désigne Tang. Les acclamations ne dérougissent pas. Les ovationnés et Mibevre se retirent.

Pendant que les amoureux restaient confinés dans leur chambre, Mc Gale médite en position du lotus, art qu'il pratique régulièrement chaque fois qu'il se sent perturbé. Il prit une décision en accord avec lui-même à 98,5 % : voir M. Tang. Ce qui le turlupine le plus dans cette histoire, c'est la faculté de ces deux personnes à savoir l'heure exacte, à la milliseconde près, comme des musiciens qui entendent la note juste. Au cours de sa méditation, il eut cette illumination : l'oreille absolue et l'heure universelle. L'instrumentiste qui possède l'oreille universelle peut donner, sans point de repère, comme un diapason, la note juste. Le La, la note de référence pour tous les musiciens; pour eux, une fois le La accordé sur leur instrument, ils peuvent accorder toutes les autres notes. Les personnes qui jouissent du don de l'oreille universelle éprouvent un réel déplaisir quand ils entendent un son qui n'est pas juste, ne serait-ce qu'une sonnerie de bicyclette, le carillon d'une porte ou tout simplement un instrument de musique désaccordé. Le quotidien de ces personnes est très indisposant. Il en va de même pour Sue et Sissy qui, en ce moment, sans aucun point de repère, connaissent l'heure au plus que millième de seconde. Aussi, voir l'heure affichée en avance ou en retard les irrite.

Une fois sa méditation terminée, le directeur se présente à la chambre de l'acupuncteur. Après les salamalecs d'usage, Mc Gale entre dans le vif du sujet :
— Encore une fois, veuillez m'excuser de vous importuner, mais vous pouvez facilement comprendre que comme je travaille continuellement avec la notion de temps, j'aimerais que vous me fassiez le même traitement prodigué à Mlle Haves et M. Phasolle.
Et en déployant son sourire charmeur coloré d'une adjuration :
— Est-ce possible?

— Votre vénérable requête oblige votre humble serviteur à y accéder. Comme Confucius disait : « Cœur qui soupire n'a pas ce qu'il désire. » Ce proverbe ne s'applique pas ici.

— Heu… bien puisque cela ne s'applique pas ici, nous en trouverons sûrement un autre pour une autre situation.

— Votre modeste serviteur demeure toujours à votre disposition.

Puis, Tang dirige Mc Gale vers la table d'acupuncture.

— Votre humble serviteur va placer quelques aiguilles à des endroits appropriés sur différentes parties de votre anatomie. Chaque fois que vous entendrez « vous allez? », vous ressentirez une légère sensation de piqûre sur épiderme.

— Je suis prêt, Monsieur Tang.

Après quelques « vous allez? » :

— Votre vénérable requête va se réaliser. Il vous faut maintenant relaxer, le temps que le traitement produise son effet. Je viendrai vous revoir quand votre demande sera exaucée.

Il se retire tout près et attend.

Vingt minutes plus tard, il vient signifier à son patient que le traitement était terminé. Après qu'il eut retiré les aiguilles :

— Si votre honorable veut bien regagner ses vêtements.

Mc Gale éprouve une sensation de repos et se lève lentement et s'habille. Une fois vêtu, il toise l'Oriental; l'Oriental le regarde avec un sourire serein et complice. Le professeur, comme un enfant qui vient de recevoir un nouveau jouet, sent en lui le temps. Un large sourire s'affiche sur son visage et, par curiosité, il consulte sa montre et constate qu'elle a trente secondes et des poussières de retard. Il dévisage le patricien et les larmes lui montent presque aux yeux. Il ne peut bafouiller que :

— Merci, Monsieur Tang, merci, le tout accompagné de révérences orientales burlesques.

À peine eut-il regagné sa chambre que d'un geste puéril, il téléphone à Peter au labo :

— Allô Peter, ici Mc Gale, pourriez-vous m'indiquer l'heure affichée sur Timette? Non, pas un mot, je vous donne l'heure. Vérifiez si cela correspond à celle de Timette, demande-t-il d'une voix enjouée et taquine.

— Mais professeur…

— Il est huit heures vingt-six minutes, neuf secondes et cinquante-six millisecondes, est-ce exact Peter?

— Exact, confirme incrédule l'assistant.

On frappe à la porte.

— Je dois vous laisser. Merci, jubile le directeur en riant.

Il ouvre la porte, qui est là? Viktor.

— Viktor.

— Entrez mon bon ami.

— Camarade Rick.

En disant cela, il saisit l'enjoué professeur dans ses pattes d'ours et lui fait la bise, à la russe.

— J'espère moi pas déranger camarade Rick?

— Jamais, affirme Mc Gale, tout joyeux de ce qui lui arrivait, et content de pouvoir le partager avec son ami.

— Rick, moi apporter cadeau d'amitié.

En disant cela, il sort une bouteille de Moskaskaya.

— Entre mon vieil ami, j'ai tant de choses à te raconter.

— Rick entraîne son collègue vers son *living-room* et sort deux verres que Viktor emplit aussi tôt. Tous les deux, debout, se regardent dans les yeux, lèvent leur verre en même temps.

— Nastrovié.

Ils frappent leur verre et, à l'unisson, cul sec. Ils font le point sur les derniers événements, et enchaînent quelques culs secs. Mc Gale s'était réservé le *punch* final. Il demande de bonne humeur :

— Viktor, quelle heure est-il?

D'un geste automatique, l'invitée consulte sa montre.

Le joyeux directeur constate, en observant son ami russe, que lorsque l'on demande l'heure, instinctivement tout le monde regarde sa montre et, d'un mouvement instinctif, répond sans se poser de question.

— Huit heures quarante-trois et treize secondes Rick.

— Vous êtes en avance de dix-huit secondes, hic, Viktor, trompette l'hôte sans consulter sa montre.

— Babouchka d'une babouchka, comment mon ami peut-il savoir heure si pas regarder montre?

Autre rasade et Mc Gale rit de plus belle. Quand le sérieux revint, il raconta son expérience avec l'acupuncteur.

Une fois que Viktor fut parti, Mc Gale se couche. Il prend conscience que son nouveau don ne lui permet pas d'arrêter les horloges. Et en gagnant le sommeil, il en déduit que le traitement et l'amour qu'éprouvent deux personnes peuvent le faire. Avant de rejoindre définitivement Morphée, il se dit : quelle science que celle de l'Oriental avec ses aiguilles!

Au Zétatsunies, à la Maison-Blanche. Installés autour de la table de conférence dans une pièce attenante au bureau du président, ses principaux conseillers attendent son arrivée. Assis à la table, dans le sens de la rotation des aiguilles : Myriam Lebovski, conseillère aux affaires internationales; Martial Ferwood, commandant en chef multiarme; Hector Parchiff, directeur de la CIA; et le conseiller en astroplomacie, Frank Vapor.

Le président entre, rejoint son fauteuil pivotant et fait un tour visuel de l'assemblée :

— Messieurs, Myriam,

il marque une pause,

— concernant l'affaire qui nous préoccupe... Myriam, votre rapport s'il vous plaît.

— Monsieur le Président, nous venons de recevoir le compte rendu de l'agent sur les lieux, monsieur Mikel Burt. Voici le résumé de la situation selon M. Burt du HMSS sur le terrain. Les deux suspects répondent au nom de Sue Haves et de Sissy Phasolle. Ils tirent leur origine du Canada et n'ont aucun démêlé avec la justice; nos services n'ont trouvé aucun lien avec des réseaux subversifs. Ils ne sont d'aucune allégeance politique ou religieuse. Vous aurez compris : des gens ordinaires. Toutes nos ressources ont fouillé leur passé, leurs relations et nous n'avons rien découvert de suspect. Messieurs, je vous décris la situation, selon le rapport de M. Burt. Premier point : quand ils s'embrassent, ils le font d'une façon amoureuse; deuxième point : ils ont reçu un traitement d'acupuncture qui a activé leur horloge biologique; troisième point : nous avons identifié le médecin acupuncteur qui peut remettre les horloges biologiques en fonction chez l'être humain, un certain Bon San Tang. Des questions?

Réponse immédiate de Ferwood.

— Y croyez-vous, Lebovski à cette horloge biologique?

— Écoutez Ferwood, il ne s'agit pas ici d'un acte de foi, mais d'être objectif. Les faits sont là et sont validés.

Le commandant en chef resta muet devant l'aplomb de Lebovski, car il reconnait, d'une part, sa grande intelligence et, d'autre part, son sens de la répartie (arme dangereuse et efficace). Il n'oublie surtout pas qu'elle jouit également des bonnes grâces du président. Hector Parchiff enchaîne pour faire diversion, et par amitié pour son ami Ferwood.

— Et vous Vapor, sur un ton ironique, c'est votre domaine à vous, les choses comment vous dites… non répertoriées?

Vapor utilise son langage prêchi-prêcha continuellement emprunt de mysticisme alambiqué :

— Ce qui échappe aux aveugles n'est pas toujours inexistant Parchiff, vous savez comme moi que si l'on entretient le négatif mental, le négatif va arriver. C'est une attitude, hélas, que beaucoup trop de personnes cultivent. Pour revenir à la question que vous me posez, il faut reconnaître que ces deux personnes doivent être extrêmement connectées pour agir ainsi sur le monde extérieur. On pourrait dire qu'elles opèrent comme un canal privilégié entre le temps et l'amour. Une sorte de *channeling* en quelque sorte. On ne peut tout exclure chaque fois que l'on ne comprend pas, n'est-ce pas Parchiff?

— Effectivement, articule Parchiff en prenant bien son temps. Pourriez-vous, Lebovski, au moins nous décrire ce que représente… l'horloge biologique?

— Il s'agit d'un mécanisme qui permet de savoir l'heure en tout temps sans avoir à recourir à un appareil mécanique conçu à cet effet. Pour votre information, cela porte le vocable d'horloge ou montre. La fin de sa phrase est dite avec un léger accent ironique.

Parchiff, indifférent à l'ironie de Lebovski :
— Quelles solutions s'offrent à nous?
— S'il vous plaît, tranche le président, en visionnaire, il y a deux personnes qui confirment qu'un acupuncteur peut remettre en marche l'horloge biologique. Serait-il réaliste de concevoir que l'horloge biologique de tous les habitants serait réactivée et que nous pourrions nous passer de tous les systèmes de mesures du temps?
— Monsieur le Président, nous avons ici, je pense, une occasion de développer un savoir unique qui pourrait libérer la planète. Ceci pourrait nous ouvrir un marché inexploré et nous serions en position dominante. Monsieur le Président, économiser des milliards de dollars en horlogerie, une industrie en déclin, et en accroître une autre, c'est intéressant, conclut Lebovski.

Le silence s'installe et la tablée se met à rêver. Quelques instants plus tard, le président enchaîne :
— je veux cinq choses dans les plus brefs délais; la première : un rapport sur les coûts de l'industrie du temps; la deuxième : un compte-rendu sur la faisabilité de la réactivation de l'horloge biologique pour tous les habitants de la planète; la troisième : un échéancier sur la logistique d'une telle opération; la quatrième : un descriptif de l'implantation de ce programme; et, la cinquième : en priorité, je veux rencontrer ces deux personnes et l'acup… comment dites-vous Lebovski?
— Acupuncteur, Monsieur le Président.
— Acupuncteur, répète sagement le président.
Lebovski ajoute :
— Bien, Monsieur le Président, vos rapports vous seront remis dans les plus brefs délais.

— Maintenant, ajoute le président taquin, j'aimerais savoir si chacun d'entre vous, et ceci bien sûr *off the record*, vous vous embrassez de cette façon?

Difficile de ne pas satisfaire une demande du président et surtout de lui cacher quelque chose. Parchiff qui était dans son champ de vision n'eut pas le choix de répondre le premier.

— Monsieur le Président, ce que vous demandez est très personnel... Parchiff diminue son débit et, d'une voix empreinte de confidence, il confit : heu... comme vous le savez... je suis amoureux de Jenny. Dans les rares moments que nous passons ensemble, oui nous nous embrassons amoureusement. Dommage que je ne peux faire arrêter les horloges. Jenny mérite bien cela après tout, ajoute-t-il narquois les yeux brillants et heureux de s'en être sorti.

— Merci Hector pour votre franchise.

Le regard du leader se tourne vers Ferwood.

— Quand j'ai rencontré Alice, il y avait ce genre de baiser auquel vous faites allusion, mais tout a changé en faisant carrière et, surtout, le vrai changement a eu lieu sans que je m'en aperçoive. Ce soir, elle aura droit à toute une embrassade grâce à vous, Monsieur le Président.

Vapor et Lebovski opinent de la tête.

Sur ce, le président lève la séance.

Pendant ce temps, à l'UTL, avec ce que Mc Gale avait raconté à Viktor Krimminski, Tang reçut la visite du Russe, de Mibevre, de Peter, et de quelques journalistes fins finauds. Depuis le traitement du professeur, tout un et chacun, en secret, viennent le voir pour profiter de son savoir. Les horloges connaissaient de plus en plus de nouveaux arrêts. Burt est sur les dents et va rencontrer, maussade, Sue et Sissy.

Toc deux fois, plus un autre expédié autoritairement

Sissy Phasolle ouvre et l'officier aux phalanges déterminées entre sans-façon :

— Il m'avait semblé vous avoir demandé de ne plus vous embrasser tant que je ne vous donnerais pas de nouvelles directives.

— Mais Mikel, nous avons suivi vos consignes, répondent-ils ensemble, dépités.

En disant cela, le cellulaire de l'agent Burt sonne.

— Burt, j'écoute.

— …

— Incroyable! Merci, et il raccroche.

— Toutes mes excuses. C'est à n'y rien comprendre. L'arrêt des horloges, vous n'y êtes pour rien, puisque vous êtes ici, devant moi. Continuez à respecter mes directives le temps de voir… Je vous laisse, et encore une fois toutes mes excuses. Sur ce, il se retire perplexe.

Cheminant, pensif… :

— Bon San Tang! Ah celui-là!…

Burt fila chez l'Oriental avec une seule idée en tête : « Y va manger un chien de ma chienne celui-là. » Il est furax.

Rendu à la porte de Tang, il omet les tocs séants et les remplace par des placks inconvenants. Durant l'attente, il rage d'enguirlander le Bridé. La porte s'ouvre et l'acupuncteur reste dans l'embrasure; il n'a pas le temps de dire un mot que Burt incisif :

(les trois points de suspension représentent la partie canine du ton)

— Me… sieur… Tang… cé quoi… sta'faire là?

— Si honorable visiteur veut bien élaborer sa noble pensée, émet Tang en refermant la porte derrière lui.

— Sta'faire là, Me... sieur… Tang. Sta'faire là, c'est que tous peuvent… maintenant… arrêter les horloges. Continuez-vous…, monsieur Tang…, à utiliser vos aiguilles?

— Modeste serviteur met à la disposition de ses semblables ses humbles connaissances à équilibrer le Yin et le Yang corporel, tel qu'enseigné par l'illustrissime Su Wen.

— Monsieur Tang… écoutez-moi bien…, ouvrez grand vos deux oreilles. Savez-vous que votre Su Wen est en train de foutre le bordel sur la planète?

— Votre ordinaire serviteur cherche à comprendre votre Éclairé.

Il se calme :

— Quand vous *piquez* le monde, les horloges s'arrêtent bon sang de bon sang Tang! Il n'est pas d'humeur à faire des jeux de mots, celui-ci est sorti involontairement, il poursuit : cé tu difficile à comprendre ça? Plus vous en piquez, plus c'est un foutoir sur la planète. Vous saisissez ça au moins, ajouta Burt à bout de patience en finissant d'évacuer son fiel.

— Comme disait le grand Confucius : « On ne fait pas d'omelette sans casser d'œufs. » Ceci ne s'applique pas ici.

Et l'agent poussa davantage la *tautologie*.

— Heu… puisque cela ne s'applique pas ici, fiez-vous à moi, on va bien en trouver une autre.

— Votre modeste serviteur est toujours à votre disposition.

Reprenant sur lui :

— Monsieur Tang, adjura Burt en tentant de contenir son impatience, vous serait-il possible de ne plus piquer personne jusqu'à nouvel ordre? Enfin, je veux dire de ne plus appliquer le traitement heu… le traitement du grand plan cosmique. Et j'aimerais, vous me comprenez, j'aimerais que vous me remettiez la liste des gens que, heu… vous avez connectés au grand plan cosmique.

— Vu le raisonnable de la situation, votre requête est un ordre, Monsieur Burt.

Un galimatias éructa de la bouche, surprise, de l'agent :

— Ma modeste personne se réjouit de croiser un illustre grand sage.

L'Oriental referme la porte; la femme de Peter est étendue sur la table d'acupuncture. Il se disait en son for intérieur que plus il y aurait de gens qui profiteraient de sa découverte, plus Mlle Haves et M. Phasolle seraient en sécurité. Après tout, il était responsable de ce qui leur arrivait.

L'HOMME POSSÈDE SIX ORGANES CREUX (FU)
DOUÉS D'UNE FONCTION DE TRANSIT, ILS
SONT YANG ET SUPERFICIELS PAR RAPPORT
AUX CINQ ORGANES PLEINS (ZANG) QUI ONT
UN RÔLE DE « RÉCEPTACLE » OU « MAGASIN »
POUR LES SHEN ET SONT YIN. LES UNS SONT
LIÉS AUX AUTRES EN COUPLES PAR LA
RELATION BIAO-LI « DEHORS-DOUBLE » ET
SONT À L'IMAGE D'UN VÊTEMENT DOUBLÉ.
CETTE RELATION PROCÈDE DE LA SITUATION
DES « MÉRIDIENS » QUI SONT LES VAISSEAUX
DE CES ORGANES. LES YANG LONGENT LE
CÔTÉ EXTERNE ET LES YIN LE CÔTÉ INTERNE
DES MEMBRES…

« Continue mon amour, laisse glisser tes doigts de cette façon sur mes pores de peau spatiale. Ouuuui continue! J'adore ton délicat toucher, mon bel amour temporel. Continue, mon infinie personne t'appartient. Ha! oui, j'allais te dire comment, finalement, j'ai pris forme dans leur tête, et encore, ils commencent seulement à me découvrir, tu sais.

Au début du commencement, j'étais présente dans la vacuité, seule, aucun être pour me voir, personne pour sentir ma substance éthérée. Personne n'était là pour moi. J'existais depuis toujours et ma présence passait inaperçue. Tout a débuté doucement, très légèrement. Ma révélation s'est réalisée grâce à un simple geste, celle du doigt pointé. À ce sujet, je pense que certains ont gardé ce trait primitif bien ancré en eux – Mikel Burt –. Ainsi, ils indiquaient un endroit, un arbre, par exemple. Par ce geste, ils me permettaient d'être. Ils désignaient une distance, et puis cette distance occupait un espace; tu vas comprendre que j'existais à très petite échelle à ce moment. Tu diras toi, mon bel amour, toi qui connais de moi toutes mes immensités infinies, toi qui me caresses de façon microscopique, me cajoles le macroscopique, qu'ils ne sont rien en comparaison de toi, mon amour. Eux, ils ne conçoivent que l'ombre du début du commencement de mes froufrous sidéraux. Que c'était agréable, tout de même, ce petit bout de moi ainsi révélé! Si tu savais comme c'est fantastique pour une femme de se faire découvrir de la sorte, petite parcelle par petite parcelle : c'est comme un état de continuelle séduction. Et je dois t'avouer, mon amour, qu'ils sont d'incroyables séducteurs; quatre mille ans d'enchantement et il en reste encore pour…

Certains ont commencé à prendre mes mensurations sidérales à l'aide d'équations mathématiques. Ils utilisent cette forme d'expression pour mieux m'apprivoiser. C'est comme un langage poétique pour eux, ils me déclament leur flamme avec des rimes qu'ils énoncent sous la forme de noms évocateurs tels : hyperboles, sinus, cosinus, tangentes, ou de signes représentant le fini, l'infini, etc. Des aèdes qui composent des vers enchanteurs sur toutes mes coutures célestes. Plusieurs ont passé des nuits blanches, rivés à leur lorgnette, scrutant ma robe à paillettes astrale pour y découvrir l'éclat du moindre brillant. Ils ont créé tout un vocabulaire pour décrire certains de mes atours : nébuleuse, galaxie, quasar, trou noir, etc. Celui que je préfère est Voie lactée. C'est cette portion du ciel que l'on peut voir quand il fait noir et qui ressemble à une bande laiteuse : ce n'est qu'une partie de mon jupon sidéral. N'est-ce pas adorable, mon bel amour, d'avoir tant de soupirants? Un seul a su m'apprivoiser et c'est toi, mon adoré. Je t'aime.

Bien sûr que durant ces quatre mille ans, ils ont fini par affiner leurs méthodes de séduction. Aujourd'hui, ils utilisent des télescopes, des radiotélescopes et leur fameux télescope spatial : Hubel. Comme je te le disais, de vrais poètes reclus dans leur antre, à rêvasser de moi. Comme ils sont charmants!

D'authentiques séducteurs, des passionnés, des entêtés faisant preuve d'imagination sans limites et sans relâche pour me découvrir. En ce moment, ils lancent une multitude de petits véhicules, qui se relaieront pour en savoir plus sur moi, fantastique non? Ils pensent se rendre aux confins de ma personne. Comme ils sont adorables!

Tout a vraiment changé avec toi, mon beau Temps, au moment où je t'ai connu. Ce n'est pas de la frime avec toi, tout est en superlatif. Du superlatif de détails infinis. Tu sais si bien y faire mon bel amour, ma couche céleste t'appartient. Je suis ton empyrée, je suis tienne. »

Sur notre planète, en Angleterre.

Bellachick arrive à l'hôpital en ambulance militaire; elle est escortée du chauffeur, du navigateur et de deux infirmiers. Tout le personnel soignant de l'établissement est surpris et intrigué de voir se présenter un patient en convoi militaire. Aussi, pas de formalités avec les militaires : tout doit fonctionner rondement et efficacement. La journaliste se retrouve en salle de consultation avec un jeune médecin civil. Celui-ci prend le pouls, la température, bref, la routine habituelle : les signes vitaux. Bellachick, en femme d'action et malgré le fait qu'elle est encore dans les vapes, lit le nom du docteur sur le badge épinglé sur le pan de son sarrau et prend l'initiative :

— Docteur Witaker?
— Oui, Mlle Bellachick.
— Docteur Witaker, je ne vous ferai pas perdre votre temps, que je devine rare, et comme les choses rares, donc très précieux. Dr Witaker, je suis journaliste, tel que l'atteste ma carte officielle.

En le disant, elle sort de sa poche le document qui confirme ses dires.

— Docteur, par respect pour votre temps, vos patients et la liberté d'expression, voici la raison de ma visite. L'armée me retient sur le campus, ainsi que tous mes collègues et les représentants de la communauté scientifique internationale. J'ai dû user d'un subterfuge pour leur fausser compagnie. J'ai pris ceci pour simuler une crise cardiaque. Les événements qui se passent en ce moment sur le campus doivent être dévoilés. Puis-je compter votre collaboration docteur?

Le Dr Witaker, depuis sa rencontre avec Bellachick, n'avait arrêté de la détailler : un coloré personnage. Bellachick affectionne les couleurs vives. Aujourd'hui, elle porte des bas rouges avec une jupette orange fluo et un *body* vert lime. Avec ses fossettes enjôleuses, il suffit d'un regard et d'un sourire et l'affaire est dans le sac… bigarré.

— Oui, Mlle Bellachick, je vais commencer par vous stabiliser, prenez ceci.

— Merci docteur.

— Je sais qu'il se passe en ce moment des événements au campus de Cambridge et il est en effet surprenant que rien ne filtre dans les médias. Les journalistes traînent de la plume dans leur *job*, ironise-t-il, l'œil rieur?

— Ils ont besoin de vos bons soins, blague-t-elle avec son sourire séducteur.

Et elle poursuit.

— Rien ne sort, car l'armée maintient un blocus total sur ce qui se trame là-bas. Docteur, la population doit être renseignée.

— D'accord, pendant que vous parliez, je réfléchissais sur ce que je peux faire pour vous. Voici ce qui pourrait vous être utile…

L'ambulance, bien stationnée, attend toujours sa patiente à l'extérieur. Deux soldats montent la garde près du véhicule. À l'intérieur, les deux infirmiers font les cent pas dans le couloir de l'urgence. Le médecin se présente devant les deux militaires-infirmiers :

— Messieurs.

— Oui, docteur répondent simultanément les deux militaires en se mettant au garde-à-vous, accompagné d'un claquement de talons.

— La patiente que vous avez transportée est actuellement en observation pour une durée de 24 heures.

Ce disant, les deux militaires consultent leur montre et dans un geste militairement synchro.

— Nous pouvons établir qu'elle présente les symptômes de la tachycardie et, pour l'instant, nous ne pouvons en définir la cause tant que nous n'aurons pas le résultat des analyses du laboratoire. Pourriez-vous me laisser un numéro pour que je puisse vous contacter au moment nécessaire?

— Docteur, merci de votre attention. Nos instructions sont claires, nous devons escorter la patiente.

— Dans ce cas messieurs, je vous revois ici quand j'aurai de
    plus amples informations.
Au départ du médecin, les deux militaires saluèrent le corps raide
avec de nouveaux claquements de talons.

Witaker rejoint Bellachick. Voyant que le plan fonctionne, il dirige
la belle colorée québécoise vers une autre sortie.
— N'oubliez pas d'être de retour dans les 24 heures, dit
    Witaker sous le charme.
Elle le regarde dans les yeux, et de ses plus beaux yeux alanguis, à
la Bellachick :
— Docteur, en détachant les syllabes, votre prénom…
— Roger, non je ne chante pas, badine-t-il en constatant qu'il
    venait de lui faire de l'effet.
— Ne craignez rien, même si vous ne chantez pas je serai de
    retour bien avant le délai. Sa réponse s'accompagna d'un
    clin d'œil complice qui en dit long…
Sur ce, elle virevolte, ce qui soulève sa jupette. Un détail que
Witaker non, Roooger n'a pas manqué. Il regarde le bel arc-en-ciel
partir, le cœur iridescent rempli à rebord de la ravissante
Québécoise.

Au pas de course, Bellachick décolle compléter ses missions :
        Déposer son article au journal *La Presse;*
        Envoyer une copie à *Kiwis Match*;
        Une autre au *Niouse Weique*.
En prime, la possibilité d'une idylle avec le beau docteur Witaker
(un sujet personnel pour elle).

À l'UTL, Sue et Sissy s'ennuyaient vertement, confinés dans leur
chambre sans pouvoir profiter de ce brin d'aventure. Interdiction
de s'aimer, de s'embrasser, du moindre élan amoureux. L'attente
leur semble une éternité; les secondes deviennent des minutes, les
minutes s'étirent en heures et les heures traînent en jours. Le
supplice du goutte-à-goutte. Le sceau contient une mer de tics tacs
à diluer. L'épreuve est d'autant plus cruelle qu'ils ressentent le
temps en eux. Ils font penser à un enfant en pénitence qui, placé
devant l'horloge, se languit doublement d'impatience dans l'attente

de la levée de la sanction. Pourtant, dans leurs moments amoureux, il leur a toujours semblé que le temps filait entre leurs doigts comme le sable fin d'un sablier.

Les scientifiques, eux, ont quitté la grande salle; ils besognent en comités restreints, dans la chambre de l'un ou de l'autre. Ils tergiversent sur l'incompréhensible, le non quantifiable et sur l'irrationnel de la situation. Ça fonctionne, mais ils ne peuvent se l'expliquer.

...LES VOIES DE CIRCULATION DU QI DES VISCÈRES SONT LES « MÉRIDIENS » CORRESPONDANT AUX DOUZE ORGANES. LES « MÉRIDIENS » (JING) SONT COMPARÉS À DES RIVIÈRES OÙ LE COURANT, VARIABLE EN INTENSITÉ ET EN VOLUME, EST OBLIGATOIREMENT CONSTANT EN DIRECTION DES « OCÉANS DES QI ». LES TRAJETS DES MÉRIDIENS SONT PARALLÈLES À L'AXE DES MEMBRES. CES « RIVIÈRES » SONT RELIÉES ENTRE ELLES TRANSVERSALEMENT PAR UN RÉSEAU (LUO) DE « CANAUX » DONT LA FONCTION RÉGULATRICE DIRIGE VERS UNE RIVIÈRE MOINS PLEINE LE TROP-PLEIN DE CELLE QUI SE TROUVE EN CRUE...

Durant ce temps, Mibevre se tient au bar et palabre avec tout confrère qui veut bien lui porter une oreille, même non attentive, sur un fond sonore de Dr John. Il jubile puisqu'une journaliste, très jolie, lui accorde une attention béate devant ses propos à la limite de l'ésotérisme postscientifique. Les collègues, qui se sont succédé à sa table, ne jouaient que le rôle de faire-valoir pour l'aider involontairement à séduire la mignonne.

Krimminski, accompagné de son « assistante », enfile Moskaskaya sur Moskaskaya. Mc Gale s'était joint à eux et les gais lurons s'en donnaient à cœur joie éthylique.

Burt franchit la porte d'entrée avec la ferme intention de ne pas s'ennuyer. Il réunit les fêtards autour de la table du Russe.

L'établissement est bondé et le propriétaire, Pierre Chartrun, exulte. Il vient de tout rénover et avec ces fêtards, il récupèrera en un temps record tous ses frais.

Après toutes ces péripéties, se dilater la rate s'impose.

Ce n'est que pour une courte durée, puisque trois cerbères entrent, l'air sérieux et inquisiteur. Les noceurs remarquent l'arrivée des trois énergumènes.

Burt y va d'une de ses blagues favorites :

> — Laissez-les-moi, fermez toutes les portes pour qu'ils ne
> puissent s'enfuir.[12]

Et c'est le fou rire général.

Les trois sbires se pointent à la table de Burt et sur un ton professionnel et amical :

> — Mikel Burt?

Sur une note de lassitude feinte :

> — Oui, oui, c'est bien moi.

Et les compères sont pliés en quatre et croulent de rires. Un des sbires en guise d'introduction laconique :

> — Jack Knol, NSA.
> — Enchanté de rencontrer un confrère, amène-toi que je te
> présente.

Knol resta de marbre; son attitude démontre qu'il n'avait pas le cœur à la fête. Burt comprend et retrouve son aplomb, il pense « encore le boulot » :

> — Bien, allons-y. Excusez-moi mes amis, je reviens, une
> tournée de *shooter* en attendant.

Burt suit Knol qui, une fois rendu à l'extérieur du bar, lui lance :

> — Vous me reconnaissez?
> — Bien sûr Jack.
> — Vous avez, comment dire, des « vedettes » avec vous?

Burt qui ne veut pas se compromettre avant d'en savoir plus :

> — Il n'en manque pas ici Jack…
> — Je vais être direct avec vous Mikel. Vous êtes déjà connu
> de nos services comme un agent top niveau. Vous allez
> recevoir de vos supérieurs des instructions afin de nous
> remettre le couple.

Si tôt dit, le cellulaire de Burt sonne.

> — Ici Burt
> — …
> — D'accord!
> — …

---

[12] Astérix et Obélix

— Bien

— …

— On se reparle.

Clic.

— Écoutez Jack, ils ne représentent aucun danger, ils sont devenus presque des amis pour moi. Aussi, j'aimerais faciliter votre mission. Seriez-vous d'accord pour que je leur parle avant le transfert?

— Votre grand cœur va vous perdre...

— Laissez-moi une quinzaine de minutes pour préparer le terrain.

— Voici mon numéro de portable.

— Je vous appelle aussitôt qu'ils seront prêts.

La phalangette du médium de Burt heurte gaiement trois fois la porte de S & S.

Sue et Sissy toujours en compagnie de l'ennui et tentent de le tromper. Aussi, pour s'occuper, Sue Haves feuillette une revue de jardinage pendant que Sissy Phasolle *regarde* la télé, puisqu'il ne comprend pas un traître mot du *British accent*. Le tambourinement de Burt à la porte annonce enfin de l'action.

— Entrez (s)

— Bonjour, excusez-moi de vous déranger.

— Vous ne nous dérangez absolument pas Mikel, réplique Sissy Phasolle.

En disant cela, il lui désigne un siège.

— Merci! Il y a du nouveau pour vous. Je suis venu vous en informer, comme convenu.

S & S se regardent, mystifiés et excités.

Burt remarque que le couple est dérangé par son index pointeur; aussi, il tente, tant bien que mal, de soumettre son fidèle compagnon phalangien. Pendant qu'il parle, son index est tantôt dressé comme à l'habitude, tantôt déployé aux trois quarts, tantôt en position fœtale avec ses frères. Il est facile de voir qu'il fait des efforts désespérés pour contrôler son inestimable ami utérin.

— Je viens de recevoir la visite de mes collègues américains
    et…

L'excitation de S & S monte de quelques points à l'échelle Richter
de la curiosité.

— Mes collègues américains du NSA, ah! pour que vous
    compreniez, NSA est pour *National Security Agency*, pour
    la plus haute instance de sécurité chez l'oncle Sam. Donc,
    mes confrères désirent vous rencontrer.

Ils se regardent, encore plus mystifiés et plus excités. Sue Haves
enchaîne :

— Hé bien, pourquoi pas, tu es d'accord Sissy?
— Avons-nous le choix?

Elle affiche son plus beau sourire :

— Mikel, puis-je vous demander une faveur?
— Si cela peut se faire, concilie Burt déjà résigné face au
    charme ensorceleur.

Sue Haves utilise *la* formule magique :

— *Pour me faire plaisir*, Mikel.

Les dernières résistances tombent.

— Pourriez-vous rester avec nous quand ils viendront, nous
    avons entièrement confiance en vous.
— D'accord, confirme Burt toujours sous le philtre du sourire
    enjôleur de Sue Haves.

Il sort son portable et communique avec Knol qui fait le pied de
grue à l'entrée avec ses deux assistants.

Quelques minutes plus tard arrivent trois clones identiques :
cheveux en brosse, complet bleu ligné gris, cravate assortie et tous
ayant une déformation du lignage de leur veston sous l'aisselle
gauche.

Après les civilités sonores sur la porte au nombre de trois, ils
entrent dans la chambre de S & S.

— Mikel, ce sont eux?
— Oui, Jack.
— Je me présente, Jack Knol du NSA, mes deux collègues
    également du NSA. M. le Président des Zétazunies nous a

chargés d'une mission de la plus haute importance, vous concernant.

Cette entrée, entourée de mystère des trois clones, donne une pointe d'adrénaline à l'excitation du couple. Je dois vous remettre en main propre une missive du président. S & S se regardent et éclatent d'un fou rire nerveux. Cette fois, le secret échappe aux secrets.

Sue Haves en riant :

— Mikel, il n'y aurait pas des caméras cachées ici? Vous savez les caméras *des insolences d'une caméra*?

Burt qui contient son rire :

— Je comprends que tout ceci vous dépasse… Soyez sûrs que M. Stanké n'est pas passé par ici.

Burt n'a pas le temps de finir sa phrase que l'un des clones tend une mallette à Knol. Celui-ci l'ouvre, en retire une grande enveloppe blanche à l'effigie de la présidence des Zétazunies et la présente à Sue Haves :

— Madame.

S & S retrouvent subitement leur sérieux. Ils se regardent, puis braquent les yeux sur Burt, les NSA et… Sue Haves décachette la missive. Mikel Burt aurait bien aimé satisfaire sa curiosité : « Qu'est-ce que le président des Zétazunies peut bien leur vouloir? ».

Les intéressés, assis côte à côte, parcourent le document. La surprise de leur lecture les étonne tellement qu'ils parviennent difficilement à communiquer. Ils ne peuvent formuler une phrase complète. Sue Haves :

— Sissy... tu…

Sissy Phasolle :

— C'est... c'est…

Sue Haves :

— Nous autres… le président des Zétazunies…

Sissy Phasolle, enfin, y arrive :

— C'est à n'y rien comprendre.

Ils regardent les NSA et ensemble :

— Nous?!!

Burt trépigne, il se sent exclu. Knol confirme :

— Oui, vous. Mes ordres sont clairs, facilitez les vœux du président.

L'agent secret, de plus en plus intrigué dirige ses yeux verts sur le couple et tente sa chance d'en savoir un peu plus :

— Puis-je vous aider?

— Mikel, regardez, le président des Zétazunies… est ce possible? Qu'en pensez-vous?

Après avoir lu le document, le géant est estomaqué :

— S'il vous le demande, il faut obtempérer. Vous ne trouvez pas?

Les amoureux se consultent du regard et Sue Haves, maintenant grisée par l'aventure, déclare d'un air espiègle.

— Si le président le demande, et bien… on accepte.

— Bien sûr, on accepte, confirme Sissy Phasolle, complice de sa bien-aimée.

Knol s'adresse à Burt sur un ton professionnel :

— Mikel, je propose de les faire sortir par les toits et de les amener à l'aéroport en hélicoptère.

— D'accord avec vous, Jack.

— Puis-je vous parler un instant Mikel? Rassurez-vous, dit-il à l'intention des invités présidentiels, question boulot.

— On vous attend, Monsieur Knol, répondit Sissy.

Sue Haves incrédule et excitée :

— Qu'elle aventure Sissy, on nous kidnappe sur un coin de rue, on devient le centre d'un zoo médiatique, une *bibitte* rare pour les scientifiques, et maintenant le président des Zétazunies veut nous voir. Quoi encore?

Et pourtant, ils ne sont pas au bout de leurs surprises.

Burt et Knol se retirent et les sbires secrets restent avec le couple.
À l'extérieur, Knol s'adresse de façon amicale à Burt :

— Deux choses Mikel : premièrement, je veillerai personnellement sur vos deux amis et, deuxièmement, je dois aussi ramener un certain Bon San Tang par… une autre voie. J'aurais besoin de votre collaboration…

— Ha! le Chinois.

Burt et Knol reviennent.

Burt, sur une note paternaliste, tout en maîtrisant son index, à l'intention de Sue et Sissy :

— M. Knol va maintenant s'occuper de vous. C'est un homme de confiance. Vous pouvez le suivre sans crainte. Toutes ses directives visent votre sécurité et le bien de la mission que le président lui a confiée. À vous de jouer Jack.

Knol regarde ses acolytes, échange une poignée de main avec son collègue et fait un signe à S & S.

C'était parti.

Un duplicata de Knol ouvre la marche, suivi de Knol, suivi des invités du président, suivi de l'autre copie conforme de Knol. Le premier, entr'ouvre la porte de la chambre et signale que la voie est libre. Sans courir, mais d'un pas énergique, ils vont d'un corridor à l'autre, d'un escalier à l'autre pour déboucher finalement sur le toit de l'édifice où deux hélicoptères Black Hack, non banalisés, attendent. Les deux doubles de Knol se précipitent vers un hélico pendant que Knol incite le couple à le suivre dans l'autre. Une fois tous installés, les appareils sautent dans le ciel zébré d'aventures et réduisent Cambridge à un minuscule point derrière eux.

À peine nos héros commencent-ils à se familiariser avec l'intérieur du cockpit que celui-ci perd de l'altitude et se dirige vers un aéroport, plus précisément vers un point de la piste. À cet endroit, un avion attend, les moteurs en marche. Les hélicos se rapprochent tout près de l'aéronef à l'effigie des Zétazunies. Les portes ouvertes de l'appareil patient, prêtes à les recevoir. Une fois sortis des hélicoptères, tous les passagers marchent rapidement vers la passerelle de l'avion. Sûrement un protocole des services secrets, puisque cette fois-ci, Knol ouvre la marche; les amoureux suivent collés à lui comme une ombre supplémentaire. Derrière eux, les deux clones, la main droite sous le pan gauche de leur veston, regardent à droite et à gauche à la recherche de potentielles menaces.

Une fois rendus à l'intérieur, un officier féminin les attend et en guise d'introduction :

— Bonjour et bienvenue à bord! Je me présente : Ginger Whithwine, je suis mandatée par le président pour faire en sorte que votre voyage se passe le plus agréablement possible. J'occupe la fonction officielle de secrétaire. Dans les faits, je suis affectée aux missions officieuses, ajoute-t-elle sur le ton de la confidence avec un sourire complice à l'intention de Knol et de S & S. Si vous voulez bien me suivre.

À mesure qu'ils avancent à l'intérieur de l'appareil, leurs yeux s'écarquillent sur du jamais vu. Ils voient par des portes entrebâillées : une salle de conférence, une chambre à coucher de luxe, un bureau de travail, une salle bureautique équipée de photocopieurs, télécopieurs, ordinateurs et autres machins électroniques. Elle les dirige vers une pièce où les sièges forment un cercle. La pseudo secrétaire les invite avec un large sourire et, d'un geste de la main, leur désigne chacun un fauteuil. Sue et Sissy, Knol et Whithwine s'installent.

Entretemps, les copies knoliennes avaient disparu en cours de route. L'augmentation du régime des moteurs se fit sentir et Whithwine enchaîne subtilement à l'intention de Knol :

— Votre séjour au Royaume-Uni vous a plu?

— Agréable Mme Whithwine, nous recevons des invités charmants, ajouta-t-il en regardant les deux Québécois. Je ne vous ai pas encore présenté Mlle Haves et M. Phasolle?

— Quel plaisir de faire votre connaissance! On n'en a que pour vous de ce temps-ci?

— Avec ce que nous avons vu à Cambridge, renchérit Sissy Phasolle en cherchant l'approbation de sa compagne, je présume que oui, mais nous n'avons pas beaucoup de contact avec l'extérieur. Tout se déroule si vite. Vous pouvez nous en parler?

— Avec plaisir. Prendriez-vous un verre de vin?

Sue Haves :

— Heu… va pour le vin.

— Rouge ou blanc?

— Rouge, opta Sue Haves connaissant les goûts de son amoureux.

— Je sens que ce sera une envolée merveilleuse, avance Whithwine. S'il vous plaît, appelez-moi Ginger, ça va me changer des réunions protocolaires. Et vous Jack? annoncez votre couleur! Je parie sur le rouge. Les hommes préfèrent le rouge…

Décidément, quelle hôtesse!

— Ha! Je pensais que c'était le blond des blondes!

— Un, zéro.

Et tous éclatent de rire. Ça promet…

— Va pour le rouge, Ginger.

Si tôt dit, si tôt fait. Un larbin de service se présente avec un plateau garni d'une bouteille de rouge (faites votre choix pour le cépage) accompagnée des quatre ballons de circonstances. Quel avion! Parlez de vin et il apparaît. Le fuselage possède sûrement des oreilles. Ginger :

—   Avant de répondre à votre question, portons un *toast* à notre envolée.

Tous les quatre trinquent avec des regards complices. Whithwine résume les événements avec humour et en deux temps trois mouvements les rires fusent. Au fur et à mesure que les verres se succèdent, il surgit des mets plus succulents les uns que les autres. On se croirait entre amis autour d'un feu de camp… aérien.

À Cambridge.

Burt appelle le chef de police de Sainte-Agathe-des-Monts.

— Allo.

— Rock, c'est Burt, comment tu vas?

— Cé tiguidou right through icit, où es-tu?

— J'ai fait la connaissance d'un autre de tes compatriotes, un savant de Sainte-Agathe-des-Monts.

— Ha! Qui çâ?

— Un certain Mibevre, genre professeur Tournesol, tu le connais?

— Quelle banque qu'y a faite, blague Rock en riant?

— Une banque du savoir biotemporel, lui répond du tac au tac Burt.

— Pi yâ une carte bancaire pleine de formules mathématiques, badine le chef de police.

— Non, il a probablement pillé quelques universités de leur omniscience, raille à son tour Burt.

Et il enchaîne :

— Je ne t'appelle pas pour cette raison, mais pour te dire que nos deux tourtereaux seront de retour dans ton patelin bientôt.

— Quand viens-tu faire ton tour Burt? J'ai plusieurs personnes agréables à te présenter.

— De sexe féminin, j'espère?

— Qu'est-ce que tu penses, hein?

— Tiens-les en *stand-by*, je devrais être dans ton coin en même temps que le retour du p'tit couple. Je te rappelle pour finaliser l'opération.

— OK. En passant, j'ai acheté un nouveau cheval, tu vas l'aimer.

— J'ai hâte de le voir. Comment refuser… tout ce que tu m'offres?

— Cé çâ, en riant, ça se r'fuse pas hi! hi! hi!

— D'accord, on s'en reparle.

— D'acc! on s'en r'parle.

Clic.

Après l'échange téléphonique, Burt se rend au bar et découvre le professeur à la queue de cheval avec le directeur-musicien. Ils n'en sont sûrement pas à leurs premières consommations.

— Bonjour.

— Viens prendre une bière, lance le directeur invitant et joyeux.

— Je n'interromps pas une conversation, j'espère?

— Mais non, ajoute Mibevre pimpant.

En se joignant à Mc Gale et Mibevre, l'index de l'agent, pointé vers le bas, fait un signe circulaire au serveur, geste qui évoque la même chose pour tout le monde. Burt déclare :

— Heureux de vous voir Mibevre, j'allais partir à votre recherche.

— … Ha, ah…! Pas un mandat d'emmener toujours?

— Mais non, rassurez-vous. Je voulais vous dire que je retourne dans votre ville québécoise sous peu et que si vous désirez m'accompagner, cela nous fera une envolée plus agréable et aux frais de *Her Majesty* pour vous.

— Avec plaisir, j'ai pratiquement terminé ici.

— D'accord, on se reparle pour les derniers détails.

— Super, Burt.

Mc Gale, dans sa gaieté, trépigne de prendre la parole :

— Ma compagne revient bientôt et Mibevre me parlait justement de ce magnifique « pays » qu'est le Québec.

Mibevre :

— Plus on est de fous, plus on s'amuse, n'est-ce pas?

Là-dessus, les verres se lèvent et un *toast* tinte; il fait l'unanimité du groupe. Mikel Burt :

— Elle est où ta flamme, Rick?

— Son emploi l'occupe en ce moment.

— Quelle discipline pratique-t-elle? s'informe le secret avec son index presque indiscret.

— Elle travaille dans l'aéronautique. Le dernier mot est prononcé sur un ton qui met fin à l'échange.

Burt comprend que le directeur ne veut pas en ajouter davantage et change le sujet de conversation :

— Pour ma part, j'ai bien hâte d'y retourner dans ton beau pays Mibevre.

Une nouvelle tournée apparaît à la table et les comparses tissent des liens sous l'influence du houblon. Une énigme plane toutefois dans l'esprit de Mibevre et de l'officier. En aéronautique, quelle division? Et qui est-elle pour que Mc Gale ne veuille pas en parler? La sonnerie du cellulaire de Burt tinte ceci :

— Code 5.

À l'intention de ses nouveaux amis :

— Excusez Messieurs.

Il se lève et se dirige vers l'extérieur. Au téléphone :

— Burt, j'écoute.

— …

— Oui, je suis sur le terrain.

— …

— Lui

— …

— Je m'en occupe tout de suite.

— …

— Affirmatif.

Clic.

Revenu à la table :

— Mibevre, désolé, je dois retirer ma proposition. D'autres priorités me réclament. Désolé encore. Le *business*, bougonne-t-il sincère.

— Je comprends. Au plaisir de se revoir et merci, quand même, pour l'offre.

— Allez, amusez-vous bien, la prochaine tournée est pour moi. Façon de me faire pardonner. Ciao! à l'intention du directeur et du Québécois aux lunettes et à la queue de cheval.

Et le super agent se retire prestement en direction d'une nouvelle mission, un autre Code 5… Mibevre resté avec Mc Gale.

— Puisque vous profiterez de vacances bientôt avec votre amie, pourquoi ne pas venir me visiter avec elle?

— Tiens, c'est une idée intéressante.

— Vous allez aimer, j'en suis sûr. Et pour une lune de miel, ce n'est pas les endroits tranquilles qui manquent. Des un-lac-pour-toi-tout-seul, il y en a plein dans le coin.

Une autre tournée suivra une autre tournée qui en suivra une autre sur le thème « ma cabane au Canada. »

> … DANS LES « LIAISONS », LE COURANT EST NORMALEMENT NUL ET, EN TOUT ÉTAT DE CAUSE SUSCEPTIBLE DE SE DIRIGER INDIFFÉREMMENT DANS LES DEUX SENS, CETTE PROPRIÉTÉ EST LE FONDEMENT DE LA THÉORIE DES RÉGULATIONS DU QI PAR L'ACUPUNCTURE. LES LUO SONT SUPERFICIELS ET PARFOIS IDENTIFIÉS AUX VEINES SOUS-CUTANÉES. LES JONG SONT PROFONDS ET ASSIMILÉS À DES ARTÈRES OÙ LE POULS EST LA MANIFESTATION CLINIQUE DE LA CIRCULATION DU QI.

Bellachick, comme elle le pensait, allait créer toute une commotion médiatique. Elle savait qu'elle détenait la *primeur* de l'année, que dire… du siècle, du millénaire.

Dans son article qu'elle avait transmis à son journal *La Presse*, elle brossait un tableau de l'événement : le couple qui en s'embrassant arrêtait les horloges de la planète. Elle y décrivait aussi la réunion des scientifiques venus de tous les coins du globe. Et surtout, elle criait sa frustration par rapport à l'embargo et sur la conspiration du silence qui jetait son ombre sur le site de Cambridge. Elle pestait également son indignation sur le complot des grands services de renseignements de tous les pays pour faire régner la loi de l'omerta mondiale. Pour ceux qui connaissaient Bellachick : ça en prend beaucoup moins que ça pour la pousser aux barricades. Vous aurez deviné que l'iridescente Québécoise dégage un tempérament fougueux; c'est le moins que l'on puisse dire.

Dans leurs papiers, ses collègues de *Kiwis Match* et de *Niouse Weique* reprenaient sensiblement les mêmes lignes que Bellachick. De la dynamite médiatique! Du TNT informatif! De la nitroglycérine journalistique! Du C2 scolastique!

Dans les salles de presse, tous les directeurs s'exclament avec le même genre d'expression : « cé gros ça », version américaine de « that's huge » et, transposée en français de France, « putain, ça va casser la baraque ».

La Presse titre à la une et en gros titre : Deux Québécois défient le temps. Le journal relate ce qui se passe à Cambridge et met l'accent sur les deux vedettes de l'heure : Sue Haves et Sissy Phasolle. Cela ne sonne pas très Tremblay ou Desroches comme nom de famille; pourtant, ils ont bien vu le jour au Québec!

Kiwis Match titre en première : Épée de Damoclès temporelle sur la France. C'est bien là une récupération. Tous les événements extra français se rabattent dans le centrisme nationalisme français. Culture française oblige. Les journalistes tentent par tous les moyens d'établir un parallèle avec un événement français passé : peine perdue. Une situation sans précédent : le seul rapprochement qu'un futé de *reporter* a réussi à trouver concerne l'étalon du temps qu'on utilise encore aujourd'hui. Il se base sur le mètre français. Encore que s'il avait voulu faire preuve d'imagination, il aurait pu faire entrer en scène le Cassoulet : si le temps dérape, il y a un risque que la fameuse recette tourne, et là... catastrophe nationale!

Niouse Weique trompette en gros titre : Terrorisme international à la frontière. L'esprit paranoïaque zaméricain tire à vue dans tous les articles du *Niouse*. La paranoïa journalistique américaine dégaine un rapprochement entre le réseau terroriste Al Capoida et le couple québécois. Leur délire sous-entend, sur la foi de prétendues informations des services secrets, que S & S font partie d'une filiale active du groupe. La filiale au nom de *Lethal Time* (où ont-ils déniché ça?) se tapirait à leur porte, sur le territoire de leur énigmatique minus voisin : le Canada. Elle serait précisément située dans une province et ils doivent expliquer à leurs *chers* lecteurs qu'une province équivaut à un état pour eux. Pire encore, le réseau opère dans une province d'irréductibles séparatistes : le Québec.

Tous les quotidiens de la planète, avec 24 heures de décalage, informent leurs lecteurs de la situation à Cambridge.

Les chefs d'État donnent une allocution pour rassurer leur bon peuple. Tous reprennent à peu près le même thème à savoir :
1.   La population ne court aucun danger.

2.   L'armée se tient en état d'alerte puisqu'il n'y a pas de danger (on n'est pas à une contradiction près).

3.   Que les scientifiques informeront les citoyens d'heure en heure. (Pourvu qu'elle n'arrête pas!)

4.   De limiter les déplacements.

5.   De consulter l'heure régulièrement!

6.   Que leur bon président demeure solidaire avec le peuple dans son palais.

7.   Et finalement, concluons avec la devise appropriée à chacun des pays et correspondant au *God bless America*, au Canada, ça donne : le PM vous accompagne *d'un océan à l'autre*. Pour le Québec, l'AM (Auguste Monarque) fait une promenade en auto, la plaque arrière affiche le *Je me souviens* qui s'inscrit bien dans le contexte.

Arrivé à l'aéroport de Washington, *Air farce One* se pose et roule vers l'aire de stationnement qui lui est réservée et s'y immobilise.

Tic, tic, tic, à la porte de chambre des amoureux. Sissy remarque que la porte n'a pas fait toc, mais tic. Sûrement les relents de la veille ou un autre gadget présidentiel ou les deux. Ils se sont couchés relativement avinés. Temps a pu encore une fois profiter d'une heure de sursis. Ce n'est pas tous les jours que l'on peut planer d'amour. Merci Monsieur le Président pour l'expérience vécue et désolé, Monsieur Burt, pour la consigne délicieusement transgressée. L'altitude, le vin, la libido sont tous les ingrédients qu'il faut pour s'aimer : *one mile up*.

Après les pseudo tocs, Ginger annonce, le ton plein d'entrain :
— Sue et Sissy, le café est prêt.
— On arrive, répond Sue Haves en se collant sur son amoureux.

Quelques minutes plus tard, les traînards se présentent. Ils sont attendus avec croissants et café. Whithwine qui semble fraîche comme une rose :
— Vous avez passé une bonne nuit?

— Formidable merci, enchaîne Sissy Phasolle en ajustant sa voix encore éraillée, tout en jetant une œillade complice à Sue Haves.

— Et vous Ginger, demande Sue Haves avec un sourire matinal?

— Excellente, Sue.

Knol arrive militairement complice et les joyeux lurons renouent contact dans la gaieté.

Il faut constater que M. le président sait choisir ses collaboratrices.

Au sortir de l'avion, les fidèles destriers noirs les attendaient tous bien alignés, prêts pour une autre mission. Une fois les passagers installés à bord, le convoi se met en branle avec une autorité toute… zaméricaine.

La traversée de la ville s'accomplit avec panache et prestance : était-ce les petits drapeaux au coin des ailes avant des Suburban ou le nombre de Suburban? Toujours est-il que toutes les voies restent désertes et tous les feux affichent un beau vert fixe. Arrivés à une intersection, S & S remarquent que toutes les voitures d'escortes qui les suivaient poursuivent leur route. Ils sont les seuls à pénétrer dans un garage, le *President All Repair*. Le mur au fond de l'atelier s'estompe et découvre un passage souterrain où la voiture s'engouffre. On se serait crus dans un tunnel de métro avec une voûte en demi-lune en béton, éclairé discrètement au plafond par une suite de luminaires.

Au bout d'une demi-heure, toujours à vitesse réduite, le véhicule s'immobilise devant trois portes au fini nickel. Personne ne descend; le moteur s'éteint, signe qu'ils sont rendus à destination. L'attente fut de courte durée. En effet, une porte d'ascenseur s'ouvre et apparait un laquais du service secret.

Jack ordonne à tout le monde de sortir. Knol et ses consorts se déplacent côté cour, tandis que Ginger dirige les invités du président vers l'élévateur du larbin, côté jardin.

L'ascenseur s'immobilise et les portes s'ouvrent sur une grande pièce au tapis moelleux, garnie de meubles d'époque. Ginger invite ses hôtes à s'installer dans des fauteuils confortables
Une porte s'ouvre et…

- Madame la Présidente, dit Ginger en se levant, Sue et Sissy l'imitent.
- Vous avez fait bon voyage Ginger?
- Merci Madame la Présidente, je vous présente mademoiselle Sue Haves et monsieur Sissy Phasolle.

La première dame, tout sourire, tend chaleureusement la main aux deux invités et à Ginger. Les invités timides :

- Madame la Présidente (s).
- Soyez les bienvenues, quel plaisir que celui de vous recevoir!

S & S embarrassés :

- Nous également, merci.
- Assoyez-vous, vous prendrez sûrement quelque chose?
- Merci, Madame la Présidente, mais depuis que Ginger nous accompagne, elle veille sur tous nos besoins, ajoute, complice, Sue Haves avec son sourire diplomate.
- Bien, j'ai toujours su que mon mari avait fait un excellent choix avec Ginger. Il devrait arriver sous peu, vous comprenez qu'avec toutes ses obligations, je passe mon temps à lui dire…

Au même instant, la porte s'ouvre et la présidente :

- *Darling*, justement, je disais combien tu es occupé.
- Merci *Darligne*.

Nouvelles poignées de main accompagnées des inévitables civilités. Le président :

- Merci à vous d'avoir accepté mon invitation. Darligne et moi vous attendions avec impatience. Voici la situation : depuis le traitement dispensé par un certain Bon San Tang, j'espère que je prononce son nom correctement?
- C'est tout à fait correct, Monsieur le Président, confirme Sue Haves.
- Merci Mademoiselle. Donc, depuis que vous avez eu ce traitement, il manque du temps au temps. Les gens ne s'en

rendent pas réellement compte puisque toutes les horloges arrêtent simultanément et qu'elles repartent toutes au même moment. Sauf que 24 heures plus tard, il manque du temps. En une seule journée, on a pu établir qu'une heure et cinquante-trois minutes avaient disparu sur toute la planète.

Sue et Sissy se regardent mal à l'aise.

— Cela a mis en évidence la désuétude de nos systèmes de mesures du temps. Nous comprenons que notre manière de mesurer le temps est devenue obsolète par rapport à votre don. Nous sommes également conscients de l'immense gaspillage de ressources à les construire et à les entretenir. Nous pensons pouvoir utiliser toutes ces ressources de façon plus utile pour l'humanité. Il y a bien sûr d'autres problèmes d'ordre pratique…

— Darling vous êtes génial, s'exclame Mme la Présidente, les yeux admiratifs.

— Darligne, mon amour, laissez-moi continuer, adjura le président gentiment à sa Darligne. Mes conseillers travaillent à l'heure actuelle à faire en sorte que toute la planète puisse bénéficier de la faculté que vous possédez, jeunes gens. L'ambassadeur Brimer a présenté aux Nations Unies une proposition enjoignant tous les dirigeants de la planète à mettre en œuvre un plan pour libérer les peuples dc la dépendance des mécaniques du temps.

Sue et Sissy sont deux dépassés.

— Comme vous le savez, les êtres humains sont rébarbatifs au changement. Aussi, cela va générer des résistances dans la population. Mon gouvernement est résolu à affranchir l'humanité du joug des horloges. Si je vous ai fait venir, c'est pour pouvoir compter sur votre collaboration à la réalisation de ce projet. Nous lui avons donné comme nom de code *Biotime*.

S & S se regardent interrogatifs :

— Notre collaboration, Monsieur le Président? (s)

Darligne :

— Le président tient à ce que vous agissiez comme porte-parole de cet événement planétaire.

— Porte-parole? (s)

— Les gens voudront voir la preuve que cela fonctionne, n'est-ce pas Darling?

— C'est bien cela Darligne. Si vous pouviez démontrer vos facultés en public, cela aiderait les sceptiques à être confondus et l'humanité à évoluer. Il s'agit après tout du plus grand projet planétaire jamais entrepris.

Sue et Sissy incrédules :

— Une apparition en public?

— Je comprends vos réticences. Je laisse à Ginger le soin de vous donner les détails de ce plan, et en fin de journée, nous souhaitons que vous vous joigniez à nous pour le souper. Cela nous permettrait de faire plus ample connaissance. Qu'en pensez-vous?

La première dame, avec un sourire engageant :

— Dites oui, s'il vous plaît.

Sue Haves qui n'y comprenait plus rien :

— Avec plaisir.

— Avec plaisir, ajoute timidement Sissy Phasolle.

Le président :

— À la bonne heure. Ginger, vous continuez à prendre soin de nos invités, n'cst-ce pas?

— Bien sûr, Monsieur le Président

Sur ce, les deux D présidentiels se retirent.

Ginger, suivi du couple, se dirige vers l'ascenseur. Une fois à l'intérieur, les portes fermées, celui-ci se mit en fonction. Sue et Sissy constatent que plutôt que de descendre, ils prennent la direction opposée : celle des nuages. Il arrive au bout de sa course et les portes s'ouvrent sur le toit de la Maison-Blanche.

Un hélicoptère en marche patiente. En marchant, à demi courbée, Ginger invite S & S à faire de même et à la suivre à l'intérieur de l'hélico. Une fois les ceintures de sécurité bouclées, la secrétaire fait signe au pilote de décoller. Sur ce signe, il lance sa machine dans un ciel céruléen et complice.

— Vous savez que le président vous aime beaucoup, affirme Ginger.

Sue Haves :

— Merci de nous l'apprendre; mais, où allons-nous?

— À Camp David. Vous pourrez vous y reposer. M. le Président et son épouse se joindront à nous pour le souper. Rassurez-vous, comme je vous le disais, vous les avez conquis. Ils veulent quelque chose de simple et comment dit-on?

Elle s'autorépond, en riant.

— Convivial, oui c'est cela… convivial.

Chacun, blotti dans ses rêveries, regarde le paysage défiler. Après un moment, l'hélicoptère perd de l'altitude au-dessus des grands champs verts. L'envolée s'approche d'une bâtisse blanche, des clôtures à perte de vue délimitent les terres appartenant à son propriétaire.

Une fois parvenue à l'intérieur de la résidence, Ginger dirige les amoureux au second étage vers leur chambre. Arrivée à celle-ci, elle ouvre la porte et leur fit signe d'entrer :

— Le président me fait dire que vous êtes ici chez vous. Si vous désirez quoi que ce soit, il ne faut pas se gêner, d'accord! Sinon, j'aurais un blâme du président badine-t-elle, en riant.

— Ginger, merci de toutes vos attentions… Un blâme? Ne comptez surtout pas sur nous, répond Sue Haves, en riant à son tour.

Sissy Phasolle constate la complicité sans cesse grandissante entre les deux filles.

Ginger :

— Je suis dans la chambre attenante alors, s'il y a quoi que ce soit… une pause ne nous fera pas de mal. Qu'en dites-vous?

— J'ai toujours été un chaud partisan de la sieste, plaisante Sissy Phasolle sur le même ton.

— Dans ce cas, reposez-vous bien et on se revoit tout à l'heure, conclut Ginger.

Plus tard.

Un joyeux tambourinement à la porte de la chambre tire les amoureux de leur sommeil.
Sue Haves encore endormie :
— Oui.
— C'est Darligne, je reviens vous voir dans quelques minutes.
— Heu… oui, OK, Mme Darligne.
Quelques minutes plus tard, d'autres joyeux tambourinages.
S & S mieux ajustés :
— Entrez. (s)
— La sieste a été bonne? demande Darligne en entrant avec un plateau garni de biscottes et de café.
— Oui merci, excellente Madame Darligne, confirme Sue Haves.
— À la bonne heure! Laissez tomber le *madame* mes *choux* et faites la même chose avec Darling. Entre nous, il est trop gêné pour vous en parler. Vous savez comment sont les hommes, ajoute Darligne, avec un clin d'œil.
— Promis, Darligne.
— Tenez, des biscottes et du café, c'est pour vous. Venez nous rejoindre au salon quand vous serez prêts.
— Merci, c'est gentil. Nous arrivons.
Descendus au salon, Sue et Sissy aperçoivent le trio qui les attend. Ils arborent jeans, tee-shirts et bottes de cow-boy. Ils se lèvent et en guise d'accueil :
— Formidable Darligne! Les voilà. Que diriez-vous d'une promenade à cheval avant le souper?
— Quelle bonne idée! s'exclame Sue Haves avec ravissement et étonnement.
— Va pour le cheval, enchaîne joyeusement Sissy Phasolle en voyant le bonheur sur le visage de Sue Haves.
— Bien. Sue, suivez Darligne, et vous, jeune homme, venez avec moi pour la garde-robe appropriée.

Sissy suit le président et Sue prend une autre direction avec la présidente. Darling ouvre une porte qui cache un véritable magasin de tenues western.

— Choisissez ce que vous désirez. N'oubliez pas les bottes, précise le président, avec un grand sourire d'enfant.

Sissy hésitant :

— Je choisis…

— Oui, oui, il y a tout ce qu'il faut ici pour une randonnée à cheval. Je vous donne un coup de main. Dans cette rangée, les chemises. Regardez et prenez celle qui vous plaît. Tenez, celle-ci à carreaux rouges et blancs, qu'en pensez-vous?

— Oui j'aime, c'est très de circonstance. Évidemment, ça dépend de la couleur du cheval.

Tous les deux éclatent de rire.

À l'extérieur, les chevaux sellés attendent. Le président désigne la monture que doivent prendre S & S. Une fois installés sur leur coursier, Sissy Phasolle regarde Sue Haves, admiratif. Elle porte un chapeau de cow-boy posé légèrement en angle sur la tête; une veste de cuir blanc avec de la frange sur les manches et des motifs rouges appliqués sur les pans avant lui donne un air de vedette des films de Sergio Leone. Les jeans ajustés et les bottes à éperons blancs complètent l'ensemble.

Sissy Phasolle, lui, est accoutré comme le président. Avec les encouragements de son hôte, il a délesté le magasin de bottes, éperons, jeans, recouvre-jambes en cuir, veste à frange et du fameux Stetson. Darling à l'intention de Sissy :

— Ce cheval vous convient-il?

— Impeccable, il est appareillé avec la chemise.

— Ha! ha! ha!

Le groupe se met en branle. Les Darling, côte à côte, ouvrent la marche; Ginger et les nouveaux cow-boys suivent. La journée est idéale et, rapidement, Sue et Sissy maîtrisent leur bête. La sérénité de l'endroit exacerbe les sens de chacun. La sensation du soleil sur le visage, l'air qui glisse sur la peau, les odeurs multiples dissolvent le stress des derniers jours. Le mouvement de dodelinement des corps sur les montures en déplacement soude le groupe pour l'excursion.

Au fur et à mesure que la bande avance, le paysage change. Tantôt, les vallons font place à une forêt touffue de résineux odoriférants. Des feuillus ombragent le sentier. Le gazouillis d'un ruisseau qui serpente leur parcours les conduits à une chute rafraîchissante qui grise les sens. Pour garder l'esprit vigilant, quelques daims, qui broutent, apparaissent çà et là. Le cœur de chacun palpite à l'envol bruyant des perdrix surprises par leur passage. Quand l'occasion se présente, Darling ralentit le pas de sa monture pour dévoiler, tapi dans le sous-bois, un renard ou un chat sauvage. D'autres fois, il pointe le doigt en direction de la cime d'un arbre pour signaler la présence d'un aigle ou d'un autre volatile. Il se dégage du président, durant la randonnée, une grande connaissance et un immense respect de la nature. Y a-t-il du Daniel Boone dans les veines de l'homme?

Le long croassement de délectation d'une corneille perce le silence de la forêt.

Un Indien apparaît derrière un rocher au pied d'un val. Le président arrête son cheval, met pied à terre et va à sa rencontre. Il lui parle dans sa langue pendant un moment, puis ils se font l'accolade. L'Amérindien disparaît et l'excursion se poursuit.

Le soleil, sur son déclin, se prépare à regagner sa tanière nocturne. Arrivé près d'une petite rivière, le groupe s'immobilise. Les hôtes suivis de Ginger descendent de leur monture; les deux nouveaux cow-boys les imitent. Ils attachent leur bête à un arbre. S & S n'avaient pas remarqué que chaque cheval transporte une sacoche. À la vue de Darling qui retire la sienne, chacun fait de même et dépose sa fonte à côté de celle du *leader*.

Darligne et Ginger invitent Sue Haves à venir ramasser du bois. Sue Haves les suit. Pendant ce temps, le président sort d'une sacoche une bouteille.
— Un petit gin Sissy?

— Heu… Ce n'est pas de refus.

— Regarde dans cette sacoche, il y a de la glace et des verres.

— Dure, dure la vie, philosophe Sissy sur une note mi-sérieuse.

— Ici Sissy, c'est l'endroit qui me plaît le plus pour venir me détendre. C'est dans ce lieu, loin de tout, que je me reconnecte avec moi-même, que Darligne et moi renouons. C'est une merveilleuse femme que j'aime. Je crois deviner que vous êtes également très épris de Sue?

— Je l'adore, renchérit Sissy Phasolle.

En disant cela, les filles arrivent en rigolant. La soirée promet.

Ginger :

— Monsieur le Président, je dois me retirer… quelques dossiers urgents, vous comprenez?

— Bien sûr Ginger, vous allez nous manquer.

— Passez une bonne soirée! On se revoit demain Sue et Sissy?

Sur une note nostalgique, chacun :

— À demain Ginger.

Elle enfourche sa monture et part au galop.

Le président rassembleur :

— Qui m'aide pour le feu?

Et chacun participe au collectif du feu : placer un morceau de bois comme ceci, un comme cela et finalement tous affichent de la fierté devant l'œuvre éphémère qui s'embrase sous le craquement d'une allumette… présidentielle.

Les autres sacoches s'ouvrent pour dévoiler vin, baguettes françaises, fromages et pâtés. Aucun Ketchup en vue! Le jour s'est couché, repu de sa journée, et les tisons dansent comme des lucioles au-dessus des flammes. Quelle surprise pour Sue et Sissy de voir des « gens de pouvoir » apprécier les choses simples de la vie! C'est vrai qu'un hélicoptère, un ranch, des chevaux, ça aide.

Darligne :

— Vous savez que Darling et moi, après nos journées de travail, nous aimons nous retrouver ici.

— C'est un endroit magnifique, renchérit Sue Haves.

Darling en débouchant une bouteille de vin :

— Darligne, je ne dis pas ceci pour nous plaindre. Nous faisons ce dont nous avons toujours rêvé : de la politique. Cet endroit nous permet de nous ressourcer et de nous retrouver. Il y a quelque chose que vous souhaiteriez réaliser?

— Pas de la politique, vous le faites trop bien, blague Sissy dont le gin a accentué la bonne humeur.

Tous rient de bon cœur. Darling remplit les coupes de vin et Sissy poursuit, cette fois, plus sérieux.

— Pour ma part, je dirais qu'aller dans un tournoi d'échecs, voir les grands maîtres jouer, oui, j'aimerais bien ça.

— Vous êtes un joueur d'échecs?

— Un petit joueur, mais c'est ma passion. Vous jouez Darling?

— J'ai fait quelques tournois dans ma jeunesse. J'étais doué, je pense, mais la politique a pris le dessus. Que voulez-vous? Il n'y a que 24 heures dans une journée. Et vous Sue?

— Malheureusement pour Sissy, je ne pratique pas les échecs, mais j'aimerais un jour visiter le Grand Canyon, dit-elle simplement.

Darligne :

— Vous avez raison, c'est un endroit magnifique Sue.

— Vous n'ignorez pas que le Grand Canyon s'inscrit dans les merveilles du monde, enchaîne Darling. Vous savez que Darligne et moi souhaiterions posséder un jour votre nouveau don, n'est-ce pas Darligne?

— Ouuiii Darling, si M. Tang veut bien…

La soirée se poursuit à la lueur du feu de camp. Quand le sommeil gagnera les campeurs, ils poseront la tête sur leur selle qui leur servira d'oreiller. Ils s'endormiront enroulés dans la rude couverture au son du grésillement des grillons sur un fond de gazouillis de la rivière.

Au petit matin, ils se font réveiller par l'arrivée d'un hélicoptère. Les chevaux et tout le fourbi seront ramenés par le vieil Indien qui attend dans son coin. Le président le salue et le groupe regagne Camp David par la voie des airs.

DANS LA CHINE ANTIQUE, LE PEUPLE NE
POUVAIT VOIR L'EMPEREUR. LORSQUE
L'EMPEREUR SE FAISAIT SOIGNER, LE
MÉDECIN TRAITANT N'AVAIT ACCÈS QU'AUX
MAINS ET AUX PIEDS DE L'EMPEREUR, CEUX-
CI ÉTANT PASSÉS AU TRAVERS D'UN RIDEAU.
POUR POSER SON DIAGNOSTIC, LE MÉDECIN
PRENAIT LES POULS AU NOMBRE DE SIX. DE
SA MAIN DROITE, IL PLAÇAIT SUR LE POIGNET
GAUCHE L'INDEX, LE MÉDIUM ET
L'ANNULAIRE SUR LA FACE INTÉRIEURE DU
POIGNET, SUR L'ARTÈRE RADIALE. AVEC
L'INDEX, IL PRENAIT LE POULS DU CŒUR; LE
MÉDIUM, LA RATE ET L'ANNULAIRE, LE REIN
GAUCHE. SUR L'AUTRE POIGNET, IL PRENAIT
LE POULS DU POUMON, DU FOIE ET DU REIN
GAUCHE. LES ORGANES CORRESPONDENT
AUX CINQ ÉLÉMENTS SUIVANTS : LE FOIE EST
L'ÉLÉMENT BOIS; LE CŒUR EST L'ÉLÉMENT
FEU; LA RATE, LA TERRE; LE POUMON, LE
MÉTAL; ET LE REIN, L'EAU.

Du haut des airs, Burt se dit qu'il y a des missions qui paraissent plus faciles que d'autres. Apparemment, celle-ci ne sera pas du nombre. Il occupe le siège voisin de l'acupuncteur et il tourne distraitement, pour tromper la monotonie du vol, les pages d'une revue qui ne lui font ni chaud, ni froid. Le colis-qui-parle-de-façon-bizarre garde le silence. Son mutisme est éloquent, son non verbal l'est tout autant. Bon San Tang, assis au côté de l'agent secret, maintient le regard fixe bien droit devant lui. « Encore un autre truc oriental », songe Burt. Une autre feuille ennuyeuse va rejoindre les autres. Un jet privé c'est bien, mais seul avec une statue chinoise aphone : ce n'est pas le *fun*.

Il se dit que « lorsque l'on n'a rien à faire, le temps semble bien long. » Ce vol lui paraît interminable. Les six heures d'avion pour se rendre à destination ressemblent à soixante jours de vol, en ce moment. Une éternité pour lui qui a conscience du temps à la milliseconde près depuis le traitement avec le patricien. L'écoulement du temps lui semble figé maintenant qu'il peut le sentir s'écouler à la milliseconde.

Puisqu'il est de nature positive, il se met à rêver à sa chérie. Sa chérie pas encore, il l'a entrevue au cours de sa dernière mission. Une sémillante châtaine, nantie de formes comme il les aime. Il a appris, de son nouvel ami Larivée, qu'elle tient une boutique de fleurs à Sainte-Agathe-des-Monts, et qu'elle tire ses origines de Hollande.

Pendant que les moteurs ronronnent et que le fuselage de l'avion glisse en susurrant un sifflotement dans le bleu azuré, Burt, lui, plane toujours dans sa stratosphère d'anticipation amoureuse. Il revoit ses beaux yeux clairs et ses éclats de rire ensorceleurs, qu'elle distribue généreusement en dodinant de la tête pour inconsciemment révéler sa joie de vivre.

Il a également appris que l'objet de ses désirs est célibataire. Il n'en faut pas plus à un autre célibataire hétérosexuel, esseulé, pour rêvasser sur plusieurs *Air Miles* d'amour hypothétique. Tang tourne la tête vers lui et le sort de son fantasme idyllique. Il le gratifie d'un sourire appuyé de son regard bridé, serein. La béatitude du Chinois ramène l'agent sur le plancher des vaches… de l'avion!

— L'honorable voyageur voyageait?
— Dans la lune. Je pense que je vous y ai vu, non? plaisante Burt.
— Modeste serviteur ne va jamais dans la lune, comme vous dites. Il élimine les distractions intellectuelles pour atteindre le non-mental, tel que l'enseigne Hui-Neng.
— Le non-mental?
— La pensée de Hui-Neng représente la forme la plus pure, la plus subtile et la plus pénétrante de toute la doctrine zen.
Que va-t-il encore me sortir? se dit Burt.
— Ma modeste personne va tenter de satisfaire la curiosité de l'illustre voyageur. Le vénéré Hui-Neng enseigne le non mental par la Triple Disciplines qui est comprise de la façon suivante : quand les pensées erronées ne surgissent plus, il y a précepte. Quand les pensées erronées n'existent plus, il y a méditation. Et lorsque la non-existence des

pensées erronées est perçue, il y a connaissance transcendantale.
— Transcendantale, chuchota presque l'agent déconcerté.
— Votre sagacité personnelle en déduira que la méditation aide à atteindre le non mental et ainsi, parvenir à l'illumination.

Burt va de surprise en surprise avec l'Oriental. Il se laisse envoûter par l'énigmatique personnage, toujours de vert anthracite vêtu. D'autres *Air Miles* s'écoulent à l'écouter discourir sur la sagesse orientale, discours qui ne semble jamais ennuyeux ou condescendant. Au contraire, il sait trouver les mots qui tiennent l'Occidental suspendu à ses lèvres. Tout le temps que l'avion se rapproche de sa destination, il prend conscience qu'un grand pan de son ignorance orientale s'estompe et se teinte d'un jaune culturel extra occidental.

À leur arrivée à Washington, l'acupuncteur et l'agent secret parcourent le même chemin que précédemment S & S avaient emprunté : le faux garage, le tunnel, l'ascenseur et maintenant, ils patientent dans l'antichambre présidentielle.

Une porte s'ouvre et le président fait son entrée. L'officier et le patricien se lèvent. Burt se raidit le corps comme une chandelle et aligne ses doigts au garde-à-vous près de sa tête, le tout soutenu par un claquement feutré de chaussures. Le leader lui rend son salut militaire. Le président regarde l'Oriental qui s'incline légèrement. Le chef l'imite, toutefois moins. Rompu à la diplomatie orientale, il sait que les subalternes doivent, en signe de respect, se pencher davantage devant un supérieur.
— Vous êtes Mikel Burt n'est-ce pas?
— Oui, Monsieur le Président.
— Enchanté de faire votre connaissance. Repos, Monsieur Burt.
En bon militaire, l'officier espace les jambes et place ses mains dans son dos.
— Monsieur Tang, je présume? ajoute le président en regardant l'Oriental.

— Ceci décrit bien votre modeste serviteur.

— Vous n'ignorez pas, Monsieur Tang, qu'avec les événements en cours, vous êtes mondialement connu?

— Merci votre Illustre, comme disait le grand Confucius : « La lumière attire les lucioles ». Mais ceci ne s'applique pas ici.

— Burt *rit dans sa barbe*, car il connaissait la réplique.

— Monsieur Tang, d'abord, je tiens à vous remercier d'avoir *accepté* mon invitation.

— Votre modeste serviteur ne peut refuser une si présidentielle requête.

— Si je vous ai fait venir, Monsieur Tang, c'est tout d'abord pour vous dire que votre expérience en médecine traditionnelle orientale nous serait d'une aide considérable. Votre précieux savoir pourrait favoriser tous les habitants de cette planète.

— Votre circonspect serviteur est tout ouï à votre sagacité.

— Tous les gouvernements de la Terre se concertent à cette heure pour faire profiter la population de votre découverte. La tâche est colossale et votre expertise nous serait inestimable, Monsieur Tang.

— N'est-il pas le devoir de tout bon praticien de partager son expérience au profit du plus grand nombre, Votre Grandeur?

On frappe à la porte.

— Entrez.

— Monsieur le Président, dit Whithwine.

— Je vous attendais. Laissez-moi vous présenter M. Bon San Tang et l'agent du HMSS, Mikel Burt.

— Messieurs, bonjour.

— Ginger, pourriez-vous *briefer* M. Burt sur la suite de sa mission pendant que je termine avec M. Tang?

Burt salue militairement le président qui lui retourne son salut. Une fois que Ginger et l'officier eurent quitté la pièce :

— Monsieur Tang, je vous retiens, car c'est une demande toute personnelle que j'ai à vous faire.

— Ma modeste personne vous prête humblement son oreille, Monsieur le Président.

— Ma femme et moi aimerions, si cela était possible, pouvoir bénéficier de votre illustre savoir…

Dans l'enceinte de l'ONU, le secrétaire général de l'Organisation des Nations Unies va s'adresser à l'assemblée. On sent une fébrilité dans l'air, on anticipe du jamais vu depuis la création de l'ONU. En effet, chacun des pays membres a reçu par son ambassade respective un projet initié par les Zétazunies.
Le secrétaire général :

— Mesdames et Messieurs les Chefs d'États et de gouvernements, Excellences, Mesdames et Messieurs, c'est pour moi un grand honneur de prendre la parole à cette réunion de haut niveau, consacrée à la dimension humaine, sujet d'une extrême complexité et d'un intérêt fondamental pour les peuples du monde.

Vous avez devant vous un projet extrêmement ambitieux, un projet universel, unique en son genre. Il est mobilisateur et fera en sorte que tous les êtres habitant cette planète posséderont une caractéristique humaine commune de plus. Les Nations Unies ont été créées en réponse aux défis que représentent, pour l'humanité entièrc, la nécessité de maintenir la paix et la sécurité internationale d'une part, et de faire la promotion du développement de l'humain, d'autre part. Nos caractéristiques humaines communes nous singularisent de la race animale, du règne végétal, et enfin, nous différencient du minéral. Parmi ces caractéristiques, notons, entre autres, la faculté de se déplacer à la station verticale, la faculté de communiquer par le vocabulaire oral et écrit. La raison qui nous réunit tous ici aujourd'hui consiste à doter chaque être humain de l'aptitude de connaître l'heure partout dans le monde, sans recourir à des artifices mécaniques. Le projet est ambitieux. Il y a, de nos jours, cinq milliards de citoyens présents sur tous les continents. Pour arriver à donner la capacité d'être biotemporalisé, il faut se tourner vers un nouveau procédé vieux de quatre mille ans. En effet, trois millénaires av. J.-C., les médecins chinois ont découvert un moyen simple d'activer l'horloge biologique en chacun de nous. La résolution que vous avez sous les yeux élabore la faisabilité – avec le concours des thérapeutes orientaux et occidentaux qui détiennent les connaissances en acupuncture –, d'appliquer une façon de faire qui est déjà éprouvée. Actuellement, quelques personnes jouissent de cette faculté. De nos jours, on recense environ un million d'acupuncteurs sur notre planète, ce qui veut dire qu'avec une population mondiale de six milliards et demi d'individus, chaque acupuncteur devrait traiter soixante-cinq mille patients. Comme vous pouvez le voir, la tâche est colossale.

Un autre aspect de ce gigantesque projet est relié aux aiguilles que le médecin acupuncteur emploie. Il en utilise sept pour activer l'horloge biotemporelle. Vous aurez compris qu'il faudra fabriquer quarante-cinq milliards d'aiguilles. Tout ceci, bien sûr, relève de la logistique et de la technique. Notre tâche à nous consiste à créer une agence, supervisée par l'Organisation des Nations Unies, qui aura comme mission de surveiller l'implantation universelle de cet ambitieux projet. Il s'agit pour nous de délimiter le mandat de ladite agence et de déterminer en priorité par quelle strate de population chaque pays devra commencer l'activation de l'horloge biotemporelle. Chers collègues, nous vivons un grand moment dans l'histoire de l'humanité. Avec ce pas, il est permis de rêver que l'on pourra activer la biocommunication chez les êtres humains, et qui sait la biotransportation.

C'est ici que l'affirmation de Monsieur Guy Verhofstadt prend toute sa signification lorsqu'il déclare : « si nous le voulons vraiment, nous pouvons rendre la joie et l'espérance à des centaines de millions d'êtres humains ». Je vous remercie.

À ces paroles, l'ensemble des délégués se lève et ovationne le secrétaire général des Nations Unies.

LA CIRCULATION DU QI SE FAIT « DE HAUT EN
BAS » DONC À L'INVERSE DU SENS QUE LA
MÉDECINE OCCIDENTALE RECONNAÎT À LA
CIRCULATION   ARTÉRIELLE…   LES
« LIAISONS »   AU   NOMBRE   DE   365
ABOUTISSENT AUX POINTS D'ACUPUNCTURE
OU « FOSSE DU QI »`. CES POINTS SONT
ASSIMILÉS À DES LIEUX GÉOGRAPHIQUES ET,
COMME EUX, SONT DÉSIGNÉS PAR DES NOMS
PROPRES QU'IL SERAIT VAIN DE CHERCHER À
TRADUIRE.

Dans tous les journaux de tous les pays, un sujet occulte tous les autres. Il occupe plusieurs pages qui expliquent les origines et la pratique de l'acupuncture, sujet qui a pour effet de monopoliser tous les journalistes. Les salles de rédaction roulent 24 heures sur 24. Les pigistes et les surnuméraires se régalent d'une situation qui leur permettra de prendre du galon.

Chaque journal y va de sa couleur personnelle pour renseigner son créneau de lecteurs sur les tenants et les aboutissants de la médecine traditionnelle chinoise (MTC). La science médicale occidentale tergiverse sur cette pratique séculaire, faute de données scientifiques. Comment mesurer le courant énergétique? Que penser des millions de personnes qui encensent les traitements qu'ils ont reçus? Comment expliquer que la MTC s'attaque à la racine du mal et non seulement aux signes apparents? Etc.

Dans l'esprit de la médecine occidentale, tout se guérit par une pilule. Pour elle, comment adhérer au non quantifiable? Qu'est-ce qu'un méridien? Qu'est-ce que le Qi? Y a-t-il danger pour la santé (ex. : les aiguilles mal stérilisées)? Les acupuncteurs répondent qu'ils n'utilisent leurs aiguilles qu'une seule fois et les jettent dans des contenants prévus à cet effet. Les médecins voient leurs champs de compétences envahis et ripostent par : Qui nous assure que les praticiens ont reçu une formation adéquate? Et ainsi de suite. Un dialogue de sourds, installé depuis longtemps entre les deux courants de pensée, permet aux journalistes de vendre de la copie.

Les éditorialistes tentent de calmer le jeu. Ils reprennent les propos du Secrétaire des Nations Unies et élèvent le débat sur les grands enjeux planétaires : les bienfaits de l'affranchissement de la quincaillerie mécanique du temps, du personnel de cette industrie qui pourrait être canalisé dans d'autres sphères de l'activité humaine. Le budget de ce secteur pourrait être orienté vers des ressources différentes.

Certains éditorialistes jettent une ombre au tableau en invoquant un complot international. L'ultime argument paranoïde donne ceci : comment se fait-il que tous les dirigeants soient d'accord en même temps? Il y a *aiguilles* sous roche.

On peut se fier aux Zaméricains pour leur sens du spectacle. La prestation du deuxième millénaire n'était qu'un essai comparé avec ce qu'ils ont concocté ici. Côté sécurité, du jamais vu dans l'Histoire. Aucun avion civil dans le ciel du territoire zaméricain. Toute la ville de New York est sécurisée par l'armée, les forces navales, les unités spéciales, Bruce Willis de la police locale, le FBI, la CIA, la garde nationale, enfin tout ce qui donne dans la protection se trouve mobilisé pour l'événement. Une nuée de caméramans, de journalistes, à l'intérieur et à l'extérieur de l'enceinte, trépignent d'impatience de rapporter la moindre seconde de la festivité, surtout celle qui se présenterait inopinément avec un contenu inusité, loufoque, voire fantaisiste. Avec tout le battage médiatique, le stade est bondé malgré le prix d'entrée qui *coûte la peau des fesses* comme dirait Claude Dubois. Chaque personne du public arbore une ou plusieurs montres. Des filles portent des justes au corps avec des cadrans imprimés aux endroits stratégiques : les seins, le nombril. Les rondeurs des derrières participeront, au même titre que le buste et le nombril, à la liesse collective de leur propriétaire à l'événement. Les adeptes du *body painting*, plus audacieuses, il faut le dire, s'exhibent les seins nus peints avec les deux aiguilles et les douze chiffres évocateurs autour de leurs aréoles. Les intellos s'expriment à l'aide d'affiches arborant des messages tels : *Time for Love*, *Fuck clocks*, *No time for War*, *Time for sex*, etc. À l'intérieur, l'atmosphère chauffée à bloc par des groupes musicaux de l'heure commence à se dégourdir. Un collectif d'artistes y va de ses meilleurs succès, ce qui a pour effet de survolter la foule.

Toutes les capitales du monde vivent les manifestations sur écrans géants dans tous les stades, grâce à la magie du direct.

La peinture de Dali intitulée *La désintégration de la persistance de la mémoire,* représentant une montre molle suspendue à un arbre, devient l'emblème de l'événement. Jamais le peintre n'aurait pu prévoir un tel succès pour cette toile.

Les grandes entreprises ont récupéré le spectacle en placardant tous les espaces publicitaires extérieurs et occupent le moindre recoin dans les journaux. Les publicitaires ont déployé des trésors d'imagination sur le thème du temps. Les seules sociétés qui optent pour la discrétion sont les manufacturiers d'horlogerie. Un nouveau mot s'introduit triomphalement au Panthéon du dictionnaire : *biotemps.* Les académiciens n'ont pas eu à ergoter longtemps. Il obtient l'unanimité instantanément. Bienvenue à toi, biotemps, dans la confrérie de la lettre B.

Dans un élan de générosité calculée, tous les commanditaires verseront une partie de leurs profits aux pays pauvres pour les aider à accéder à la biotemporalité.

Au stade, la foule est en liesse, la bière coule à flot dans les gosiers, les hot-dogs glissent dans le creux de l'estomac en prévision du rot de satisfaction. Des décibels de musique synchronisent les corps en mouvement. Les chorégraphies scéniques se succèdent dans une orgie de lumière laser et de boucane psychédélique. Les participants ont l'impression de participer à un *rave* hors temps!

La prise d'images retransmises sur écran géant permet à chaque spectateur de ne rien manquer. Le public fête et patiente joyeusement en faisant bombance. Comme l'aurait déclamé le Grand Jules, s'il avait vécu à notre époque : de la bière et des jeux. C'est dans cette ambiance de démesure que les dignitaires arrivèrent au son de l'hymne national des Zétazunies « God Bless America » chanté par la grande diva Céline Pion. La foule, debout, agite le traditionnel fanion zaméricain. Durant ce temps, au parterre, une chorégraphie de mille figurants représente, en alternance par leurs mouvements, le drapeau zaméricain et une immense horloge. L'auditoire ne se contient plus et s'égosille à travers les rots et les balancements rythmés des fesses en délire.

Puis, au centre du parterre, s'avance, seul, illuminé par des centaines de *follow spots*, Jerry Seinfeld. Il s'adresse à la foule qui boit ses traits d'humour entre deux gorgées de bière. Jerry tout en bouffonnerie fait rire l'assistance, et en finesse, introduit le président. Pendant que Jerry s'éclipse, le leader s'amène sous les projecteurs qui l'accompagnent et, rendu au milieu de l'enceinte, y va de son discours de circonstance. Le public, plus que réceptif, se saoule de ses paroles et partage le sentiment de l'orateur, celui de vivre un grand moment dans l'Histoire du spectacle.

Pendant que le président discourt, vingt-quatre aéronefs s'approchent du stade et s'immobilisent en cercle au-dessus de celui-ci. On a installé sur chacun d'eux un cadran qui donne l'heure et le nom de chaque pays correspondant à son fuseau horaire sur le globe. Au moment où les *blimps* se figent, le leader arrive à la partie de son discours où il fait ressortir un nouveau lien universel qui relie les hommes : le temps. Il appuie davantage sur celui de l'amour universel. Les lunettes de John Lennon doivent péter d'incrédulité! Évidemment, il omettra la haine et tous les sentiments négatifs qui animent les singuliers bipèdes que nous sommes.

Pendant l'allocution présidentielle, Ginger bichonne les vedettes du jour. Elle sait très bien dans quel état de nervosité ils sont plongés. Les conseillers donnent des directives à S & S quant au bon déroulement du spectacle. Ils sont assis dans une sorte de chaise de barbier, protégés par une cape. Des maquilleuses les préparent en vue de leur prestation. Les nouvelles idoles éprouvent une légère exaspération.

Pourquoi ont-ils dit « oui » au président? Bien sûr, la cause humanitaire existe, mais de là à s'exhiber en public : pas leur genre.

Encore chanceux qu'ils aient pu résister au charme conjugué du couple présidentiel.

Les Darling avaient mijoté une apparition à plusieurs *Talk show* chez les Oprah Winfrey, David Letterman, Therry Ardison, Guy A. Lepage et compagnie. Sue dut utiliser toutes les ruses de Sioux, dont elle détient le secret, pour faire comprendre à ses hôtes qu'elle ne bivouaquait pas à cette adresse : celle de s'afficher en spectacle. Sissy, aussitôt qu'il eut saisi les réticences de sa compagne, l'appuya subtilement. Le couple présidentiel enregistra la manœuvre et battit adroitement en retraite. Sissy, complice de la scène, ajouta une autre raison d'aimer Sue : tenir tête au président des Zétazunies. Tout de même, il faut le faire!

Imaginez! les *spin doctors* recommandaient du haut de leur grande science, que Sue et Sissy portent des vêtements cousus de gros fils de nylon, ce qui aurait eu pour effet de rendre leur habillement lumineux sous éclairage laser; ils reçurent un coup de tomahawk négatif. À la suggestion d'insérer des bourrures dans leur tenue, une flèche d'indifférence troua le projet. L'idée d'endosser de la lingerie saillante ne fit même pas lever un message de fumée d'approbation ou de refus de la part des principaux intéressés. Le maquillage fut la seule concession consentie par S & S, et encore pas trop.

Ginger et le service de sécurité assuraient un véritable blocus autour des célébrités. Tous et chacun voulaient approcher le couple singulier. Des magnats du pétrole avec des dénominatifs qui commençaient pas Scheik…, des banquiers au nom portant une consonance …feller, …ump, …organ; de richissimes et excentriques artistes à la rime en …ackson, …john, …ager; des représentants de maisons d'édition à la dernière syllabe de sonorité …aset, …ides, …rion faisaient preuve d'imagination, à grands coups de billets verts et de débordements de renom pour rencontrer le réputé duo.

Ginger prit la liberté de rediriger toutes les fleurs et les présents offerts par tous ces soudains admirateurs à des maisons pour personnes dans le besoin.

Ginger répond à son portable :
— Ginger
— …
— D'accord, nous arrivons.
Clic.

Les commentateurs du petit écran jubilent. Enfin un événement à couvrir avec de la matière… à controverse. Scientifiques, philosophes, médecins, religieux, en somme toute personne avec un savoir relatif aux circonstances, y vont d'analyses savantes, de commentaires et de verbiage creux sur la réalisation du phénomène. S'intercalent entre les analystes, des reportages en direct avec leurs collègues des autres stades ailleurs dans le monde. Internet permet d'accéder en temps réel au *vox populi* du commun des mortels. Les animateurs, déchaînés devant l'ampleur de l'événement à couvrir, laissent voguer leur peu d'imagination et survoltent leurs intarissables discours stéréotypés. Enfin, du *gâteau* pour ceux qui meublent généralement le temps d'antenne avec la répétition de la météo et l'heure.

À l'exception des acteurs principaux et de Ginger, tous les assistants s'éclipsent comme par magic. Ginger regarde Sue et Sissy et leur fait signe de la tête. Ce qui veut dire : *Show Time*. Les amoureux se prennent fermement la main. Leurs émotions mutuelles se partagent entre « allons à l'abattoir » ou « grisons-nous d'une nouvelle aventure ». Leur pouls s'accélèrent au point de mériter une contravention pour excès de vitesse pulsative. La secrétaire le comprit.
— Ne vous inquiétez pas, c'est le trac des artistes avant l'entrée en scène.
— Merci Ginger, c'est gentil, bredouille Sissy tendu comme une corde de violon.
— Rien n'a été laissé au hasard. Rappelez-vous, la loi de Murphy n'a pas cours ici, rassure Ginger avec humour pour détendre l'atmosphère.
— On change de place, ironise Sue nerveuse.
— On s'en reparlera après, ajoute Ginger d'une voix apaisante tout en les entraînant vers la sortie.

— Ha! J'ai oublié de vous dire! On quitte en hélicoptère prendre quelques jours de repos dans un chalet, sur le bord d'un lac avec feux de camp et… du rouge.
— Fallait le dire avant, ricane Sue tout en serrant la main de Sissy.

Au fur et à mesure que le groupe formé de Ginger, les étoiles de la journée, les représentants du spectacle et la sécurité approchent de la sortie du souterrain menant à l'enceinte du stade, la musique s'amplifie à leurs oreilles. En pénétrant dans le stade, une multitude de caméras ont braqué sur eux leur œil de cyclope, accompagné d'éclairage et de perches de son de circonstance.

Maintenant, la musique emplit complètement leurs oreilles et ils reconnaissent l'air de *We are the World*. Les paroles deviennent pour la circonstance *We are the Time*.

Ginger leur fait signe d'avancer et les encourage de ses deux pouces dressés à la verticale et appuyés d'un chaleureux clin d'œil. Les nouvelles étoiles flottent, soudées l'une à l'autre. De petites lumières encastrées dans le plancher les guident vers le centre du stade. À mi-chemin, qui vint les accueillir? Jerry Seinfeld. Il se place entre eux et leur prend la main. Sue et Sissy s'accrochent à lui. Tout en s'avançant, Jerry se tourne vers un côté, lève les bras des deux héros et la foule les ovationne. Il continua ce manège jusqu'au milieu de la piste surélevée. Les spectateurs se tiennent debout pour le *standing ovation*. Jerry devine la nervosité du célèbre couple et leur adresse des paroles rassurantes qu'ils n'entendaient pas, tellement le vacarme est assourdissant dans l'enceinte du stade.

Le *Livre des records Guinness* enregistre un autre tour de force : la plus grande foule en délire. Une fois l'exploit consigné, le silence s'installe Jerry d'une voix empreinte d'un cérémonial emphatique présente Sue et Sissy à l'assistance qui y va d'une autre acclamation. Le calme revenu, les obligés vedettes savent, suivant le scénario qui avait été élaboré, qu'elles doivent faire leur *prestation*. Jerry se place en retrait et un chœur Gospel, presque en sourdine, entame un chant. Sue et Sissy, face à face, s'enlacent. Leurs yeux rieurs se ferment. Imprégnés de cette sonorité toute religieuse, ils s'embrassent. À ce moment, toutes les horloges sur les *blimps* se figent. Les spectateurs regardent instinctivement leur montre et constatent que les aiguilles sont sans mouvement. Le chant Gospel prend de l'intensité et les *Alléluias* fusent à travers les *O Lord*, les *O Lord* parmi les *O Jésus*, et les *O Jésus* entre les Alléluias.

Tous les spectateurs stupéfaits fredonnent avec le chœur et déversent une pluie de confettis et de montres dans le parterre du stade.

Alléluia, Alléluia.

Tous les stades de la planète connaissent le même phénomène. Les amoureux gênés et contents de leur prestation séparent leurs lèvres. Ils regardent fièrement la foule. Jerry, le sourire admiratif, s'approche d'eux en les applaudissant.

Durant ce temps, un hélicoptère se pose près d'eux et Ginger, qui les avait rejoints, leur fit signe de monter. L'appareil s'élève un peu dans les airs et accomplit un tour complet sur lui-même en signe de courtoisie aux spectateurs. L'engin prend de l'altitude et passe entre les dirigeables qui affichent à nouveau l'heure puis disparaît dans un ciel anonyme. Sue et Sissy retrouvent enfin leur intimité et voient leur taux d'adrénaline s'ajuster à un niveau presque normal. Darling et Darligne nagent dans la joie, à travers les lumières laser, les feux d'artifice et les fumées multicolores. Ils constatent que tout s'est déroulé sans anicroche et que le spectacle favoriserait définitivement la suite rocambolesque des événements.

POURSUIVONS

LES MALADIES RECONNAISSENT DES CAUSES EXTERNES ET INTERNES. AU NOMBRE DES CAUSES INTERNES FIGURENT LES « ÉMOTIONS » (QING) TELLES QUE LA JOIE, LA COLÈRE, LA TRISTESSE ET LA CRAINTE. ELLES PERTURBENT LA CIRCULATION DU QI QUI EST BLOQUÉE SOUS FORME D'UNE OCCLUSION (JUE) TRADUITE PAR UN REFROIDISSEMENT DES MEMBRES, DES CONVULSIONS ET PARFOIS DES SYNCOPES (SHI JUE). QUAND LE QI EST REFOULÉ VERS LE HAUT, C'EST-À-DIRE À CONTRESENS (NI), IL ÉCHAUFFE LE POUMON ET LA TÊTE CAUSANT LA TOUX ET ENTRAÎNANT UNE APOPLEXIE...

Quelques jours plus tard, Sue Haves confortablement assise dans l'avion, la tête dans les nuages — c'est le cas de le dire —, revoit leur fin de journée au bord du feu, une coupe de vin à la main, en compagnie de Ginger.

— Alors, le souper présidentiel vous a plu?
— C'était formidable, j'ignore s'il traite tous ses invités de cette façon, mais je comprends qu'il soit président des Zétazunies, répond Sue.
— En effet, il sait très bien mettre les gens à l'aise. Je dois vous dire qu'il m'a surprise en vous invitant dans son repaire. Je vais vous révéler un secret : vous êtes les premières personnes à partager leur retraite sur le bord de la rivière.
— Non! nous en sommes encore sous le choc. Nous pensions à une soirée guindée. Mais non, tout à fait sympathique.
— On a beaucoup aimé Ginger, renchérit Sissy.
— Vous pouvez inscrire de nouveaux amis à votre liste, ajoute la secrétaire avec un petit clin d'œil complice.
— Tu sais, Ginger, on a été très étonnés par ton départ.
— *Part of the game* comme disent les Espagnols, ironise-t-elle avec une œillade entendue.

Elle sort deux enveloppes :
— Ils m'ont remis ceci à votre intention.

Ginger en tend une à Sue Haves et une à Sissy Phasolle.

Le message présidentiel leur permettrait, ni plus ni moins que de réaliser leurs rêves…

Ginger s'était occupée de la sécurité. Maintenant qu'ils sont des vedettes internationales, allez savoir ce qui peut leur arriver. Pour la protection de Sue Haves, deux charmantes agentes lui furent attitrées par Les Darling : les sœurs jumelles laotiennes Som Lack et Som Tai, aussi discrètes qu'efficaces. Sissy Phasolle, lui, était sur un autre avion…

Sue Haves fut tirée de ses rêveries par le signal de « bouclez les ceintures de sécurité » pour l'atterrissage. Un hélicoptère remplace le jet privé et file vers le Grand Canyon avec à son bord les trois filles. Le paysage durant l'envolée héliportée défile et le cœur de Sue Haves bat comme un métronome affolé. Au fur et à mesure que l'hélico s'approche de sa destination, de grandes montagnes aux formes biscornues grossissent. Sue Haves remarque une végétation clairsemée sur les flancs de celles-ci, une sorte de panorama tout en roches et en sable, aux couleurs blondasses, carmines et olivâtres.

Les yeux de Sue Haves s'écarquillent au moment où ils passent au-dessus d'une rivière insérée dans le creux d'une immense dépression rocheuse. La rivière ne fait pas que serpenter, elle ondule de ses formes tantôt céruléennes, tantôt sinoples. Une végétation mi-dense, mi-éparse tapisse çà et là les rives du serpent d'eau. Sue Haves, dans son ravissement, remarque que des arbres arrivent même à pousser dans les anfractuosités des escarpements abrupts. Mais ce qui l'interloque le plus, c'était le grandiose du paysage, le gigantisme de cette sculpture naturelle. C'est comme si tout était trop majestueux pour franchir l'ouverture des rétines, comme si le cerveau ne pouvait assimiler cette orgie sculpturale.

Partout où elle regarde, elle ne voit que l'incommensurable, l'érosion orgiastique du temps — encore lui! —
Rendu à destination, l'hélicoptère se pose près d'un escarpement où un guide vêtu d'un poncho et coiffé d'un large chapeau défraîchi les attend avec des chevaux. Sue Haves et les deux Som descendent de l'hélico et vont rejoindre l'homme au poncho. Après

les présentations d'usage, Sue Haves, curieuse, s'approche du bord.
Quelle sensation! Un vertige euphorique l'envahit lorsqu'elle
découvre les profondeurs abyssales du gouffre. Le paysage au fond
du ravin lui apparait comme s'il était vu à l'aide d'une lunette
d'approche utilisée du mauvais sens.

Ivre du spectacle qu'elle vient de voir, elle rejoint le groupe qui
l'attendait sur leur monture. Elle enfourche la sienne et suit les
Som et le guide. L'homme au chapeau usé emprunte un sentier en
lacet qui côtoie l'escarpement et les conduits au fond du ravin. Au
cours de leur descente, la chevauchée passe à proximité d'une
caverne préhistorique, ce qui intensifie l'émotion de Sue. Il fait
chaud. L'air transporte une multitude d'odeurs de plantes qu'une
légère brise renouvelle sans cesse. Le grondement du torrent
s'amplifie à leur approche comme si une invisible personne
tournait le bouton de la sono. Rendu au pied du cours d'eau, le
guide la longe avec ses invitées. En se ballottant sur leur monture,
ils restent muets d'admiration devant le grandiose du nouveau
point de vue. Tous éprouvent une sensation de modestie dans ce
colossal écrin.

Arrivés au bout de la rivière, une immense chute les oblige à
s'arrêter. Ils en profitent pour faire une halte.

Du haut des airs, une corneille plane son ombre de ravissement à la
vue de cette scène.

Pendant que les chevaux se désaltérèrent, le guide leur explique à
travers le grondement du déversement de la chute qu'elle est plus
haute que celle du Niagara et que derrière celle-ci se cache une
caverne. Sue Haves n'oubliera jamais son nom : Mooney Falls,
tant elle l'impressionne. Les filles se déchaussent et en profitent
pour se rafraîchir les pieds dans l'eau et se laisser griser par le
spectacle.

Sue Haves pense à son amoureux en remuant les pieds dans le
courant. Elle rêve de se laisser transporter dans ses bras, de
franchir la barrière d'eau qui déferle et de se retrouver dans la
mystérieuse caverne. Dans sa rêverie, elle s'imagine qu'un trésor

se trouve derrière le rideau d'eau. Elle aimerait bien que Sissy soit avec elle pour partager toute la gamme d'émotions qui la rend fébrile et la submerge par le grandiose de l'expérience.

Le groupe se met en branle pour le retour. Le jour offre, sur son déclin, toute une palette de rouges qui irise les parois du canyon. En arrivant à un détour de la rivière, sur un plat, l'hélicoptère les attend et s'envolera après que les filles auront remercié le guide.

La courte envolée se termine devant un immense hôtel rustique, le El Tovar, construit en 1905. Une heure plus tard environ, Sue Haves sort de sa luxueuse chambre, se déplace vers la salle à manger, siroter un apéro. Les Som Lack et Tai, elles, vaquent à leurs occupations. Sue Haves apprécie ce moment de solitude qui lui permet de s'imprégner davantage de cette journée féérique. Merci Darligne et Darling pour ce rêve.

Quand Sue Haves avait fait route pour le Grand Canyon, Sissy Phasolle, lui, s'était dirigé vers New York avec ses anges gardiens : deux sikhs au turban rouge bonbon, la barbe bien taillée, le complet ajusté, chacun affichant fièrement son kirpan. Au moment du départ, Sissy avait noté la singularité des Som et de ses deux enturbannés protecteurs. Aussi, pendant que l'avion prenait son envol, il réfléchit aux quatre gardes du corps. Il se dit qu'il faudrait à son retour en parler avec le président par simple curiosité. Les choisit-il ainsi pour que leur origine folklorique dissimule plus facilement la vraie nature de leur travail ou maîtrisent-ils une spécialité reliée à leur spécificité culturelle?

Le président lui avait offert un ordinateur portatif et, durant le trajet, il en profite pour étudier à l'aide d'un logiciel d'échecs, les ouvertures, les milieux et les fins de parties. Sissy Phasolle est fébrile, car le président a organisé une rencontre avec le grand maître international Viktor Korchnoi, quatre fois champion de la finale URSS. Aujourd'hui âgé de soixante-quatorze ans bien sonnés, il demeure toujours un joueur redoutable dans le circuit échiquéen. Sissy Phasolle fait état de novice comparé à ce professionnel aguerri. L'affrontement allait avoir lieu dans une salle privée du prestigieux Marshall Chess club, haut lieu des soixante-quatre cases de New York.

Au fur et à mesure que ses jambes flagorneuses le transportent vers la salle prévue pour cette confrontation, il sue à grosses gouttes. Il est complètement surpris en voyant l'assistance. Une centaine de personnes attendaient l'affrontement. Un vieux monsieur vient à sa rencontre et lui tend une main chaleureuse.

— Bonjourrr, je me prrréézente, Viktor Korchnoi.
— Sissy Phasolle, balbutie l'aspirant d'une voix à peine audible.
— Vonnez jeune hômme, toutte est prrrêtte.

« Dans quoi me suis-je embarqué? » s'interroge-t-il en son for intérieur? Korchnoi l'entraîne vers une table sur laquelle un jeu d'échecs stoïque patiente. Ils prennent position de chaque côté, face à face. L'arbitre prend deux pièces : l'une noire et l'autre blanche. Il les place derrière son dos et les ramènent les bras tendus devant lui. Une dans chaque main. À vous honnorrr jeune hômme.
Sissy Phasolle désigne une des mains de l'arbitre; elle s'ouvre et découvre une pièce blanche. Donc, Sissy Phasolle disposera des blancs, ce qui signifie qu'il joue le premier. Une horloge est placée sur le côté de l'échiquier. Le rôle de l'appareil est de mesurer le temps de réflexion de chacun des joueurs. Si un des joueurs parvient à la limite du temps alloué pour sa réflexion, il perd la partie.

Sissy Phasolle regarde droit dans les lunettes de Korchnoi; il trouve les yeux de celui-ci et pousse la première pièce, met en marche le pendule de son adversaire et attend la réplique. Il en profite pour l'examiner. Il remarque surtout la profondeur de son regard et son intensité de celui-ci à travers les immenses lunettes. Sissy Phasolle a les mains moites et à l'intérieur de ses vêtements il se sent comme dans un bain sauna. Korchnoi avance sa pièce et démarre l'horloge de l'aspirant. Ainsi de suite pendant une dizaine de coups.

Sissy Phasolle joue et met le compte temps du Russe. Le coup de Sissy Phasolle semble le déranger, car il entre dans une profonde analyse qui gruge sa réserve de temps à l'horloge.

Pour tout le monde, le temps semble suspendu. Sissy, grâce à son don, n'a pas à regarder l'horloge pour savoir où il en est rendu. Avant le traitement, quand il jouait aux échecs, il connaissait cette sensation, celle du temps qui passe plus ou moins vite, selon la position du jeu au cours d'une partie. En situation gagnante, l'impression de disposer de temps; en contexte perdant, l'appréhension d'en manquer. Depuis sa rencontre avec l'Oriental, l'appréciation de la durée n'était plus un sentiment, mais une implacable réalité qui ne peut l'induire en erreur.

Donc, cent trois personnes présentes et pas un son, pas un craquement de chaise, pas d'éternuement, rien. Le silence absolu. Les deux cent six yeux de leur propriétaire supputent, rivés sur les soixante-quatre cases. Sissy Phasolle a pourtant joué un coup qui lui semblait ordinaire. Qu'est-ce que le Slave lui prépare? Un joueur d'une telle expérience possède plusieurs bottes secrètes. Korchnoi réplique, met le pendule de Sissy Phasolle et se cale dans son fauteuil.

Sissy Phasolle a de la difficulté à se concentrer. Tant de choses se passent dans sa tête : est-ce une vraie compétition ou tout ceci est organisé par le président? Le professionnel est-il complaisant à son égard? Pour arriver à faire le vide et à se calmer, Sissy Phasolle se cale également dans son fauteuil et regarde son aîné. Un éclair illumine le regard perçant de Korchnoi et un sourire, à peine perceptible, se dessine à l'intention de son opposant qui le lui rend. Il pense comprendre ce que le maître tente de lui dire. Il se redresse et sa concentration s'améliore, il réfléchit et joue. Korchnoi fait venir l'arbitre; celui-ci s'approche et demande, avec la permission de son vis-à-vis, de mettre l'horloge de côté; Sissy Phasolle obtempère et jubile. Ceci signifie que son aîné apprécie le jeu et qu'il veut poursuivre pour la *beauté* : effectuer les plus beaux coups.

La partie se poursuit extrêmement serrée dans des positions très complexes. Sissy Phasolle, mis en confiance par le vieux brisquard, joue son meilleur échec. Toute la situation le gave d'adrénaline. Tous ses sens sont en effervescence. Son cœur bat à tout rompre. Quelle sensation d'être ici et d'affronter un tel joueur! Il en aura beaucoup à raconter à Sue Haves. Dans une fin de joute corsée, le Russe l'emporte par un coup. Toute l'assistance, d'un bond, se lève et applaudit à tout rompre. Korchnoi contourne la table et vient chercher Sissy Phasolle et le présente au public. Quel moment mémorable! L'ex-champion se rassoit à la table avec le cadet qui jubile et reprend de mémoire la partie en commentant son analyse. Ils se considèrent maintenant comme deux complices évaluant les différentes possibilités de chaque coup. Quelques spectateurs s'approchent. Certains se font observateurs, d'autres y vont de leurs commentaires.

Après le départ de Sissy Phasolle, Korchnoi, réfléchit et se dit : tous les participants n'y ont vu que du feu. Pour lui, Sissy Phasolle est un novice à ce jeu, mais il avait été séduit par le jeune homme. Le néophyte lui fait revive ses débuts. Surtout le moment où il avait remporté son premier grand tournoi contre le tenant du titre mondial, prétendu invincible à l'époque. Il se remémore ce moment inoubliable. Il en a encore des frissons qui lui parcourent le corps. Aussi, il s'est dit, en le voyant, qu'il jouerait de façon à bien le faire paraître et lui ferait vivre ce qu'il avait vécu plusieurs années auparavant. Avec ce tournoi, il tenait l'occasion de transmettre, comme un père à son fils, cette passion qui le dévore depuis tant d'années.

Il avait joué, de façon à mettre le jeu de Sissy Phasolle en valeur sans désavantager le sien et sans que personne puisse s'en rendre compte. Cela représentait un plus grand défi qu'une partie régulière, surtout contre un novice. « À vaincre sans péril, point de gloire », comme dirait l'autre. Quand leurs regards s'étaient croisés après le treizième coup, il avait pris sa décision (confirmé par l'imperceptible sourire). Il désirait être plus que complaisant envers Sissy Phasolle. Il avait voulu être un père pour lui. Il était très fier de cette partie. Plus que celle contre le grand maître qu'il avait détrôné à l'époque. Il songea qu'il allait continuer à vivre dans le souvenir de Sissy Phasolle bien des années encore et sûrement au-delà de la mort. Presque l'immortalité vécue à travers les autres.

De retour du Grand Canyon et de New York, les amoureux entrent en même temps au chalet des Darling. Ils se sautent de joie dans les bras, s'embrassent de bonheur, heureux de se retrouver. Ginger les reçoit chaleureusement et leur souligne que le président allait revenir sous peu et que s'ils voulaient se reposer, on viendrait les chercher au moment opportun. Ils acceptent d'emblée la proposition de Ginger, épuisés par tant d'émotions. Ils ont tellement de choses à se raconter.

... LES EXCÈS ALIMENTAIRES OU SEXUELS, LES FATIGUES SONT À L'ORIGINE D'INSUFFISANCES DE QI CORRECT (ZHENG) EN CERTAINES PARTIES DU CORPS QUI SUBISSENT UNE SORTE DE DÉPRESSION, DE FLACCIDITÉ, DE « VIDE » (XU) CONSTITUANT UN APPEL POUR LES « PERVERSIONS » (XIE) VENANT DE L'EXTÉRIEUR. CELLES-CI ENTRETIENNENT AU LIEU OÙ SE LOGE (KE) UN ÉTAT DE TENSION, DE PLÉTHORE, DE « PLÉNITUDE » (SHI) RÉPONDANT ASSEZ BIEN À CE QUE NOUS APPELONS L'« ÉTAT CONGESTIF »...

Dans l'immensité sidérale, nos deux tourtereaux caracolent, roucoulent, marivaudent, batifolent d'un amour sans limites. Le sentiment amoureux qui les habite défie l'entendement humain. Elle s'abandonne totalement à lui et lui à elle dans l'ouatine céleste, dans leur nid éthéré, dans leur plumard azuréen. La passion qu'ils éprouvent l'un pour l'autre n'a de commune mesure que le verbe « aimer » conjugué au superlatif. Jamais elle n'a été aussi obnubilée, charmée, envoûtée par le charme de ce grand fou qui s'amuse avec elle dans l'immensité sidérale. Et lui? quel bonheur de la côtoyer, de la voir si heureuse de ses moindres pitreries temporelles! Il lui récite tout ce qu'ils ont trouvé de rigolo avec le temps :

   — L'éternité c'est long, surtout vers la fin.[13]
Et elle rit.

   — Tout le temps vivre, à la longue, c'est mortel.[14]

   — Tous les blancs ont une montre, mais ils n'ont jamais le temps.[15]

Elle éclate de son plus beau rire stellaire.
En attendant le decrescendo de son rire, il ajoute sûr de son effet :

   — Patience! Avec le temps, l'herbe devient du lait.[16]
Et, c'est le fou rire cosmique.

---

[13] Woody Allen
[14] Jacques Audiverti
[15] Proverbe africain
[16] Proverbe chinois

Elle enchaîne en lui susurrant un air suave de l'homme au monocle et aux habits de velours : Erik Satie, tiré de la Gymnopédie no 1, pa dam pa dam pa dam avec l'effet de suspendu entre les notes, pa dam pa dam pa di di di di di di di di dam pam. Il entend toutes les notes qu'elle murmure dans le cosmos, car notre ami Temps ne peut s'empêcher de continuer de caresser courbes, arrondis, sinuosités, hyperboles, toute sa féminité sidérale.

Pa dam pa dam pa dam

Ne pourrait-on pas dire que la sérotonine « pète » le plafond de leur crâne cosmique tellement le bonheur culmine au zénith de l'allégresse? *C'est l'amour global universel*[17]. Ce fou au monocle et aux habits de velours n'a-t-il pas composé ce petit bijou amoureux au petit matin, après une nuit torride, les sens repus? Ne s'est-il pas assis au piano et laissé tout simplement folâtrer ses doigts sur le clavier, comme il les avait encouragés à glisser sur la vénusté? Toutes ces sonorités ne représentaient-elles pas l'émotion de l'amour partagé, celui d'un instant de répit, celui qui nous permet d'en savourer la dimension, celui qui nous donne de l'imagination pour plonger de plus belle dans de nouvelles trouvailles pour séduire l'autre? N'était-elle pas en ce moment étendue sur sa couche? Lui, au piano, revivant l'enivrement de leur rencontre?

Pa dam pa dam pa dam.

Espace et Temps conçoivent qu'ils doivent inventer un nouveau mot pour décrire l'amour qu'ils éprouvent l'un pour l'autre. Un vocable qui n'existe pas, qui prendra tout son sens quand ils le prononceront pour la première fois.

ZOUMIR. Oui, c'est ça. Zoumir.

Ils sont en zoumir.
— Je te zoumirai toujours ma belle zoumire.
— Je te zoumirai toujours mon beau zoumir.
— Zoumirons-nous.

---

[17] Daniel Da

Donc, c'est la félicité zoumireuse. Ils se marièrent, eurent beaucoup d'enfants et se zoumirent jusqu'à la fin des temps (note de l'auteur : futur cliché cosmique). Pour citer Hubert Reeves, le bonheur est dans l'azur.
Pa dam pa dam pa dam.

Sur la planète bleue.

Pour plusieurs, la lecture des journaux se fait à la première heure du jour, au petit déjeuner devant un café, soit au resto ou à la maison.

Aujourd'hui, un seul sujet de soliloque partagé occupe toutes les lèvres de tous ceux qui entreprennent une autre journée : « Tu as lu ce que l'on raconte dans le journal? Est-ce possible? Comment s'y prendront-ils? Débuteraient-ils par les pays les plus riches? À quel âge commenceraient-ils l'activation? Peut-on s'y soustraire? »

Un bien singulier matin où, pour une fois, il n'est pas question de politique, de météo, des petits bobos, des chicanes de couple, de la fille ou du Jules le plus en vue. Tous les occupants de la rondeur terrestre ont oublié leur petite quotidienneté. Un seul sujet universel de conversation. Un début du jour où toute la planète ne parle que de ce nouveau phénomène. En passant, c'est quoi l'acupuncture? Est-ce que cela fait mal?

Chacun y va de sa théorie personnelle : un complot planétaire pour enrichir les médecins chinois? Une nouvelle mode qui ne durera pas? Une conspiration pour détruire l'industrie de l'horlogerie d'où, perte d'emploi qui se traduira en chômage? Que va-t-on donner à celui qui prend sa retraite après vingt-cinq ans de loyaux services? Pas de traditionnelle montre à l'effigie de l'entreprise, plaquée or?

Pour d'autres, cela représente l'affranchissement de ce familier truc séculaire que l'on porte au poignet. Terminer l'heure affichée partout : sur le micro-ondes, sur le téléviseur, sur la cafetière, au tableau de bord de l'auto, sur le cellulaire, sur le mur de tous les établissements publics et ainsi de suite. Fini : « au top, il sera midi ».

La fin du réveille-matin, non. La fin du chronomètre, non. La fin du compte à rebours, non. Finies les excuses : « je ne savais pas quelle heure il était, j'ai égaré ma montre, la pile de ma montre-bracelet a perdu la face, j'ai oublié d'avancer l'heure, X m'a donné la mauvaise heure ». Sûrement que le soûlon, lui, pourra dire « après quelques verres, hic, heure en moi, hic, s'est mise, hic, à t'hicquer, hic ».

Les tribunes radiophoniques ne dérougissent pas de toutes les considérations vocales anonymes. Tous les chroniqueurs ploient sous une avalanche de courriels sur l'analyse personnelle cybernétique de la situation.

Ne vivons-nous pas un autre super canular planétaire? Vous vous souvenez de celui-ci : « sous-vêtement féminin, équipé secrètement d'un GPS qui vous permet de connaître en tout moment où se trouve votre femme. Également, en option, un détecteur de chaleur et de rythmes cardiaques vous permettant de savoir si madame s'amuse dans les bras d'un autre? » Le canular a été éventré le lendemain et tous les médias, qui en avaient fait mention, se confondirent en excuses.

Mais cette fois-ci, fumisterie ou pas, l'événement monopolise l'attention de tous. Le phénomène rejoint l'érudit, le cancre, le fortuné, le pauvre, le puissant, le freluquet, de la vedette à l'anonyme. Les seuls qui restent indifférents à tout ceci se classent parmi les itinérants, les décrocheurs, quelques anachorètes perdus dans leur antre et les planeurs adeptes de toutes substances confondues.

Pourtant, malgré la difficulté de se faire une opinion qui tiendrait lieu de credo personnel, tous commencent à remarquer : un, la dépendance aux bidules de l'horlogerie; deux, la nécessité de connaître l'heure même lorsque cela n'est pas nécessaire; trois, vos propres réflexions.

Le président des Zétazunies a mis à la disposition de ses hôtes l'*Air farce One,* car la présidente est tombée sous le charme du couple d'amoureux qui a permis de décupler les élans de son Darling.

Aucun chef d'État n'a eu le privilège de disposer de l'avion personnel de Darling. Cela implique tout un dispositif de sécurité *made in Youessay* : couverture radar, déploiement d'avions de combat F1, et avant le départ d'Air farce One, un ratissage complet du ciel canadien. Des équipes spéciales de déminage, accompagnées de chiens renifleurs, passent au peigne fin toute la localité de Mirabel avant l'arrivée des vedettes. Aussi, quand l'avion arrive, tous les médias présents sur les lieux trépignent d'impatience de s'activer sur l'activité anormale et de jouer leur rôle.

Pour donner du panache à l'événement et se faire du capital politique, le P.M. du Canada, l'A.M. (auguste monarque) du Québec, le maire de Mirabel, la présidente de l'association des tricoteuses de pantoufles de Phentex et le fameux chef de police de Sainte-Agathe-des-Monts, Rock Larivée, se sont joints au comité de réception.

L'avion zétazunienne atterrit, le couple descend de l'appareil et se rend sur une scène extérieure aménagée pour la circonstance. Cette promenade, de l'avion à l'estrade, se fait accompagner par la fanfare locale de Mirabel. Elle se compose de huit majorettes, une grosse caisse, quatre clairons et quatre caisses claires qui s'exécutent à partir d'un air de *Gens du Pays*[18]. Parvenu à l'estrade, un présentateur ouvre la cérémonie et annonce qu'elle se déroulera comme suit : clichés de bienvenue du P.M. du Canada, litote de fierté de l'A.M. du Québec, gallicismes d'accueil du maire de Mirabel et finalement *le* mot de Sue et Sissy. Est-ce que cela va se dérouler de cette façon?...
L'animateur :
— Mesdames, Messieurs, le P.M. du Canada, Monsieur Paul Martini.

Le P.M. du Canada y va d'un discours sur l'amitié des deux pays. On a pu comprendre que depuis les temps, et à ce moment, cela devient flou, et pour cause, des avions de combat zaméricains,

---

[18] Gilles Vigneault

supportés par des hélicoptères, surveillent sans arrêt l'aéroport. Ça donne à peu près ceci :

— Chers concitoyens et concitoyennes, Mesdames, Messieurs, nos vedet... vrrrrrrr du jour. Nous sommes aujourd'hui vrrrrrrrrrrr ...ni pour rece...vrrrrrrrrrr. C'est avec... vrrrrrrr.

Et ainsi de suite. Malgré la ténacité et l'agacement du P.M., il n'en faut pas plus pour que l'assistance, à l'unisson, tombe dans la léthargie du vrrrrrr et collectivement réplique inconsciemment par le célèbre : Zzzzzzzzzz.

Sautant plusieurs clichés de son habituel discours, il sauve la face en réussissant à placer entre deux Vrrrrrrrr :

— Merci.

Au son du mot concluant, le public sort de son coma collectif pour faire ce que tout auditoire du P.M. doit faire en entendant « merci » : applaudir.

L'A.M. du Québec, après qu'il fut présenté par l'introducteur de service, fut presque plus chanceux. L'animateur officiel fit taire les avions et les hélicoptères et l'A.M. Bernard Landry y va à son tour d'une de ses envolées allégoriques singulières qui le caractérisent si bien :

— Merci à mon prédécesseur du Canada hors Québec. Chers patriotes de notre grande nation québécoise Psiiiiiiiit incontrôlable.

Il se recule et change l'angle du microphone et poursuit :

— C'est une fierté incommensurable qui envahie votre modeste serviteur, investi de la gloire mirifique de votre père patriotique que j' Psiiiit accueille le retour Psiiiiiit.

Après un combat désespéré à essayer de faire entrer dans un micro résolument bouché ses envolées hyperboliques, l'auguste monarque se résigne et se retire, l'air sombre, soupçonnant un coup du camp fédéraliste. Dommage, son allocution devait s'inscrire dans le répertoire des exploits emphatiques. Un discours qui selon lui devait rejoindre ceux de Platon. Optimiste de nature, il se dit qu'il servira à une autre occasion.

L'animateur réussit à faire taire les micros emballés et à l'aide d'un porte-voix annule le gallicisme du maire de Mirabel. Cela ne porta pas ombrage au magistrat de Mirabel étant peu *familier* à cette forme d'expression. Il eut juste le temps de présenter les vedettes du jour avant de s'effondrer d'une pneumo-oralite. La foule ovationne à tout rompre le sympathique couple.

Rock Larivée prend la relève des opérations et dirige Sue et Sissy vers sa voiture. Au passage, il salue d'un signe de la main les dignitaires : le P.M., l'A.M., le maire et la présidente. Il les affuble d'un sourire à la limite narquois, sourire à la Clint Eastwood, c'est-à-dire avec un ninas sur le coin des lèvres. Étrange représentant ~~du désordre~~ de l'ordre.

Une fois que S & S et Rock Larivée eurent pris place dans l'automobile banalisée du chef de police de Sainte-Agathe-des-Monts, les reporters, les curieux et les festifs emboîtent leurs roues à celles du chef de police. Le convoi se met en branle en suivant la voiture de tête gyrophardienne. Surprise! Dans le même élan spontané, le P.M., l'A.M., le maire et la présidente délaissent les *roteux*[19] et décidèrent de se joindre au cortège.

Pour Rock Larivée, ceci était la partie facile de sa mission : quérir le couple à l'aéroport de Mirabel, rejoindre l'autoroute 15 et destination Sainte-Agathe-des-Monts.

Au fur et à mesure que la colonne progresse vers Sainte-Agathe-des-Monts, des curieux déjà engagés sur l'autoroute viennent s'ajouter à la procession. Le convoi faisait boule d'autos.

Rendu à Sainte-Agathe-des-Monts, S & S sont transférés dans une voiture décapotable Volkswagen Carmen Gia bleu bonbon et Rock Larivée délaisse son auto-patrouille.

---

[19] Hot Dog

Deux résidents de Sainte-Agathe-des-Monts regardent le ciel et l'un dit :

— Beau temps pour faire une parade.

— En effet, beau temps pour une parade, répondit l'autre.

Ce disant, au pied et en bas de la rue principale, apparait sur son cheval, un *Quater horse*, Rock Larivée suivi de la fanfare de Sainte-Agathe-des-Monts. L'orchestre d'une trentaine de membres joue une seule et unique pièce en boucle. Une composition du groupe « les trois accords » : Saskatchewan.

Pour vous mettre dans l'ambiance du récit, il est recommandé de fredonner en même temps que vous lisez :

> Un beau matin
> Chu parti au loin
> Pour aller m'ner mon troupeau
> En Ontario...

Donc, Larivée assis sur son *Quater horse*, en-tête de la parade, se prépare à donner le signal du départ à la fanfare, aux majorettes, à la voiture de S & S, celle du P.M., de l'A.M., les maires de Sainte-Agathe-des-Monts et de Mirabel, la présidente et quelques tricoteuses amies de Sainte-Agathe-des-Monts, aux volières motorisées de reportage et pour finir, à tous les badauds massés de chaque coté de la rue principale. Au moment où le convoi se met en branle, arrive en trombe Mikel Burt sur un *Appaloosa*. Larivée en échappe son ninas. Burt soutenu de son Stetson et son cheval se fraie un chemin jusqu'au coloré chef de police et tous les deux se jettent dans les bras l'un de l'autre, fou de joie. Larivée donne signal du départ, aidé de son nouvel ami, à l'aide de grands mouvements de virevolte de son chapeau.

Le convoi traverse la rue principale sous une pluie de confettis et d'applaudissements. Sur le trajet, les caméras des amateurs et des professionnels mitraillent sans arrêt la singulière procession.

Après la tournée des principales rues de Sainte-Agathe-des-Monts, le chef de police, toujours à cheval, disperse la foule; la fête se poursuit pour les fêtards, près du lac des Sables. Pour les intimes,

Larivée réunit chez lui Sue et Sissy, naturellement Burt, Mc Gale qui s'est joint en cours de route avec son ami Krimminski. Mc Gale n'est pas seul, il est accompagné de Simarov. Ha! le coquin. Burt ne restera pas sur sa faim puisque Larivée a une surprise pour lui. En effet, il a invité au *party* la belle Hollandaise. Un feu de camp se prépare et les vedettes s'embrassent sous les applaudissements des amis. Le soleil se couche iridescent comme la queue d'un paon et le mot

Fin

apparaît en surimpression sur la scène.

Le générique apparaît en fondu, enchaîné sur le thème musical tiré de la Gymnopédie No 1 d'Erik Satie.

Dans leur propre rôle :

Sue Haves	Sue Haves
Sissy Phasolle	Sissy Phasolle
Denis Beaumont	Denis Beaumont
Viktor Korchnoi	Viktor Korchnoi
Bon San Tang	Bon San Tang
Som Lack	Som Lack
Som Tai	Som Tai
Albert Einstein	Albert Einstein

Avec l'inestimable inspiration de :

Michel Bertrand	Mikel Burt
Michel Robert	Michel Efcinq
Richard Larivée	Rock Larivée
Pierre A. Durivage	Rick Mc Gale
Myriam Bluteau	Myriam Lebovski
Pierre Chartré	Pier Chartrun
Catherine Chartré	Germina Bellachick
Michel Lefebvre	Mibevre
Caroline Simard	Carolina Simarov
Frank Addesso	Frank Vapor
Darling	Le président
Darligne	La présidente

Les figurants dans le désordre :
Jack Knol, Hou La, Jim, Jack, Jake, Viktor Krimminski, Pyng Pông, Ging Sheng, Chou Dhou, Jao San, Lha Yeul, Paul Brimer, Chu En Lai, Joan Berardelli, John Sneak, Peter, Martial Ferwood, Hector Parchiff, Roger Witaker, Céline Pion, Jerry Seinfeld, Robert Whithduck, Paul Martini, Bernard Landry.

Musiques	Erik Satie
Effets spéciaux	Human Virtual Dream Studio

Remerciements au journal *La Presse* pour son inspiration quotidienne. Tout particulièrement à Michel Hannequart pour son inspiration pro verbiale!

Remerciements à Monique et Jean-Paul Huneault de la librairie les Retrouvailles, rue St-Vincent, Sainte-Agathe-des-Monts (tout près du fameux coin de rue), pour leur indéfectible soutien et comme source de recherche. Le HMSS, le corps policier de Sainte-Agathe-des-Monts, le NSA, le SCRS, la GRC, le NYPD, le FBI, la CIA, l'Université du Québec, l'Université de Cambridge, l'Universel Time Laboratory, l'ONU, la NASA, les autorités aéroportuaires d'Heathrow, *Kiwis Match*, *Niouse Weique*, le réseau terroriste Al Capoida, les autorités aéroportuaires de Washington, les autorités du Yankee Stadium, le personnel du El Tovar Hôtel, le Marshall Chess club.

LES SUPPLÉMENTS

Speeches pop corn.
René Chartré:

— Puisque les deux moyens de communication sont très proches l'un de l'autre, je parle du cinéma et de la littérature, il m'a été facile de faire le lien entre ces deux formes d'expression. Au cinéma, on regarde des images qui nous racontent une histoire; en littérature, on lit une histoire en se fabriquant des images. Grâce à un entourage extraordinaire et de merveilleux amis, j'avais à ma disposition tous les acteurs voulus pour élaborer mon script. Prenons Michel Bertrand que je côtoie presque quotidiennement. Il m'a été facile de le convaincre de devenir le double zéro de cette production. Écoutons Michel.

— *Vous ne pouvez pas imaginer, quel plaisir ça a été que celui de jouer le rôle de Mikel Burt. Surtout avec un auteur comme René Chartré. Il possède... vous savez... Je veux dire, il sait saisir le meilleur de vous-même. C'est comment dire? ... C'est comme s'il avait écrit toutes les scènes sur mesure... pour moi. C'est extrêmement flatteur pour une personne comme moi de participer à une aussi prestigieuse distribution. René sait tellement capter l'essence de nous-mêmes. Oui, c'est sa force. Oui, je dirais cela, il sait saisir le caractère de tous et chacun. À chacune des scènes, il nous propulse dans l'action et l'on n'a qu'à suivre. Une autre de ses grandes qualités est qu'il peut déceler un détail de notre personnalité et le mettre en valeur. Il est capable de le porter jusqu'au ridicule du ridicule. Vous avez remarqué mon doigt pointeur? Laissez-moi vous raconter. Je me rappelle un soir, on est en train de souper. Bien, il faut que je vous fasse cette confidence, c'est vrai que j'ai cette façon automatique de pointer du doigt lorsque je parle et que je veux maintenir l'attention. Et bien, il a saisi ce détail et l'a caractérisé dans mon personnage.*

— *Je suis sûr qu'il a su voir tous les traits communs entre le personnage et la personne que je suis et ainsi, il s'est trouvé à faciliter le rôle que je devais jouer. Oui, je pense que sa grande force c'est de percevoir qui l'on est et d'incorporer le meilleur de nous-mêmes dans notre jeu d'acteur. Au début, j'hésitais, car le rôle d'agent secret, presque James Bond quand même, ce rôle m'angoissait. J'ai toujours interprété des rôles de menuisier. Aussi, pour me familiariser avec mon personnage, j'ai dû me documenter sur bon nombre de personnages qui ont eu des rôles similaires. J'ai donc dû visionner tous les James Bond pour me mettre dans la peau de ce célèbre agent. Vous allez rire, mais tous les jours chez moi ou au chantier, je pratiquais les postures et les mimiques de mon prédécesseur. Mes collègues ont dû me calmer, car c'était rendu que je dégainais mon marteau, je plaçais des munitions dans mon sac à clous et dans chaque pièce où j'entrais, je l'inspectais au cas où... Au plus fort, je mirais avec mon niveau laser des ennemis invisibles.*

Lorsque je lui ai expliqué le travail que j'ai fait pour mon personnage, il s'est mis à rire et il m'a dit : « T'en fais pas, tu es le meilleur ». Cette phrase m'a mis en confiance. Il a ajouté que j'étais un James Bond « nouveau et amélioré ». Ç'a facilité grandement mon jeu. Il est tellement convaincant que je n'ai eu qu'à me laisser aller. C'est fantastique, toutes les scènes fonctionnaient toutes seules. Vous savez, aujourd'hui, je tente de contrôler mon doigt...

— Albert est une vieille connaissance, une connaissance de mon adolescence. Lui et moi avons, à quelques exceptions près, toujours partagé les mêmes centres d'intérêt. Pas d'égal niveau. Il est devenu évident pour moi de faire appel à ses talents pour faire La rencontre : Espace et Temps. Après tout, n'est-il pas le mieux placé pour faciliter leur rapprochement? Il faut que je remercie cet ami de toujours de s'être prêté au jeu. J'adore son accent allemand et je trouvais que cela colorait l'histoire. Albert Einstein:

« Il y a longtemps que personne appeler moi pour rôle. J'avoir été sollicité souvent pour rôle majeur dans vie. Moi

être touché, pouvoir jouer enfin rôle secondaire. Moi avoir adapté façon de moi pour jouer scène à lui. Je avoir pratiqué tous les jours façon de jouer pour rôle secondaire. Quel défi pour personnage de premier rôle comme moi! Ai accepté pour, comment vous dire? Défi. OK défi. J'avoir joué tous les rôles, pouvoir dépasser moi et comment moi dire? dépasser premier rôle. Quand lui, expliqué à moi, théorie du théâtre à moi dans ses mots à lui, moi comprendre que lui avoir raison. Moi travaillé tous les jours pour rôle de second.

Comme nous partageons musique, René et moi, cela aider pour le jeu. Vous savoir que tous les grands personnages rêvent de jouer personnages seconds et être comment vous dire... oui, flatter que lui penser à moi pour personnage d'intermédiaire. Que moi être lien entre deux autres personnages de son histoire, qu'il être important pour son histoire de faire lien entre deux personnages à moi : Espace et Temps. Aussitôt, moi avoir compris que le rôle de premier et de deuxième devenait le premier rôle dans le deuxième. René savoir voir personnalité des personnages et pas pouvoir résister au plaisir d'inverser rôle de premier en deuxième. J'espère que mon jeu de deuxième être à la hauteur de premier que je moi être. Là-dessus, moi dire que tout au long, sur le plateau, lui savoir continuellement dans le temps supporter moi et diriger moi en second. Grâce à lui, le premier en moi être élevé au second. »

— Ce n'est pas par esprit de calcul que j'ai pensé au président des Zétazunies pour l'inviter sur la production. Il faut dire qu'avoir un tel homme dans son équipe facilite grandement le tournage un peu partout sur la planète. Je trouve qu'il joue tellement bien son rôle de président, tout est si facile pour lui. Alors, pourquoi prendre une autre personne pour interpréter ce qu'il sait faire de façon naturelle? Une fois toutes les difficultés aplanies, son emploi du temps, entre autres, il a embarqué à fond dans son personnage, Darling : « *Incrédeboul, de jouer rôle de Praisidente dans mouvie de Renay. Incrédeboul, à lui d'awaire penser à nous autres.*

Dans la passé, j'ai récevoir beaucoup d'offeures pour mouvie. Cé être unbeliveboul, tous les rôles que sont offerts à moi être des rôles où je me fais tuwer, je me faire kidnapper ou me faire haïr ou tortuwer. All lé scénawrios faire de moi un bad guy.

Vous savoir ce qui être incrédeboul avec Renay. Il faire de moi une good président. It's fantastique que lui être so sensitive. Mon famme être so facinéted par Renay que elle demandé à moi de jouer dans la mouvie. Mervouluse, Too getdeure dans la même mouvie.

Nous pas avoir à tchanger rienne pour jouer la présidente. Only be une bonnne Pwrésidente. Lui montré copelle de tricks pour être un bonne présidente. Lui être so kind with us. He's so gueorgess que nous devenir best friends de lui. Lui être tellement djénérous avec nous que nous prêter notre plane à lui. Renay appler le plane Air farce One in joke, Aire Joke One, nous pas comprendre la meening de la joke. Je pensé que ça être good joke en québéqueurs. Anyway, nous aimé tout de suite this guy.»

— Le rôle de Rick Mc Gale m'est apparu comme essentiel à titre d'adjuvant. Pierre est un brin non conformiste, autant en faire profiter le scénario. Donc, il est devenu une sorte de savant qui détonne dans son environnement. Un peu comme dans les polars, le super détective débraillé qui a un penchant pour la bouteille. Dans son rôle, il aurait été un peu compliqué de le colorer d'un trait de personnage qui picole et cela n'ajoutait rien à l'histoire. Mais un savant à double personnalité : une sommité mondiale et un artiste de la guitare convenaient mieux au rôle du scénario. Pierre : *« Vous savez, c'est incroyable de voir comment une quantité de détails peuvent unir une amitié comme la nôtre. Je connais René depuis… depuis au moins, attendez, vingt-six ans. Le temps passe. Je n'aurais jamais imaginé devenir un prof d'université spécialisé dans les horloges atomiques, d'avoir un ami russe, une amie cosmonaute et, en plus, une foule d'amis communs autour de nous dans son scénario.*

Savez-vous que cela a presque existé? Je me rappelle le jour où j'ai dû lui apprendre à battre la mesure pour que l'on puisse jouer de la guitare ensemble. Il aime la musique, il l'entend, surtout après un pétard et quelques bières. Je lui ai appris à compter 1 2 3 4 et 1, mais il n'entend que du six-huit. Rien à faire, même quand on part en quatre-quatre, inévitablement il va finir en six-huit.

Si vous saviez comment il a été facile de jouer le personnage de Rick Mc Gale, un rôle sur mesure, sans jeu de mots. C'est ce qui est merveilleux avec lui, c'est que tout est sur mesure dans la démesure. Il sait vous prendre tel que vous êtes, il organise tout pour que tout le monde soit à l'aise dans son rôle. Vous savez, je vais vous faire une confidence : c'est un contrôlant qui contrôle les contrôlants. Toujours une longueur d'avance.

Quel rôle il m'a créé! Un soir y s'amène avec quelques bouteilles de vin et il me dit : « Tu sais Pierre, je découvre le plaisir et tous les horizons d'être écrivain, tu peux faire ce que tu veux, comme tu le veux. C'est comme la musique, tu trouves les notes qui s'aiment et tu gardes le rythme, 3, 4 et 1.» *Quel plaisir d'avoir répondu pour lui dans le rôle de Mc Gale! Avais-je le choix, c'est lui l'auteur? Méfiez-vous si vous en avez un dans votre entourage Ha! Ha! Ha!* »

— Pourquoi caricaturer un personnage quand l'original existe et dépasse le réel? C'est le cas de Mibevre. Ce diable d'homme m'a inspiré le savant sauté genre prof Tournesol. Ce n'est pas Tournesol qui m'a inspiré Mibevre, mais Mibevre qui dégage du Tournesol. Mibevre.

— *Nous sommes la somme de ce que nous sommes aurait dit un petit, ou un moyen peut-être, sans doute un grand philosophe. Où aller chercher ce que l'on sait, notre connu, que sinon dans notre acquis? Où aller chercher l'imaginaire que sinon dans notre propre fantaisie inconnue. C'est ben lui, utiliser l'inconscient et en faire de l'imaginaire. Imaginer le connu et l'inconnu. Il a une telle faculté de prendre une part de nous et de nous caricaturer en personnage crédible.*

Tous les plans qu'il a imaginés sont des scènes vécues qu'il a remodelées pour que je vienne m'insérer dans son script. Une fleur qu'il me fait. Réunir tous ses amis, comme un party, un party virtuel où nous pouvons encore continuer à cheminer dans l'amitié. Je n'ai pas choisi de jouer un personnage de son scénario. Avais-je le choix? L'auteur, l'auteur comme dirait David Lodge. Vous savez ce qui est extraordinaire, c'est qu'il me donne un rôle sur mesure, un rôle plus grand que je ne l'avais imaginé, un personnage certes caricaturé, mais un rôle qui permet avec les moyens dont je dispose de donner le meilleur de moi-même. Je me suis laissé embarquer et je suis devenu un tournesol pour lui et son script. Pourquoi chercher midi à quatorze heures quand il est dix-sept heures, l'heure de l'apéro? Ha! Ha!... Phamiliprix[20].

— Un chef de police? Où trouver un chef de police, moi qui ne les fréquente pas particulièrement les chefs de police et la police. Pourquoi ne pas en faire le plus improbable possible? Je vois mal mon ami Richard déguisé en représentant de l'ordre. C'était l'occasion de lui jouer un tour. Un petit tour sympathique, à vrai dire. Pas que Richard a quelque chose contre les policiers. Non, simplement que je suis sûr que si dans la vie, on l'habillait en police, il en ferait une poussée d'urticaire. Enfin, je l'imagine ainsi. Richard a su instantanément interpréter son improbable rôle de chef de police. Richard : « *Comment vous dire, moé les mots, j'y connais pas grand-chose, hi, hi, hi, hi. Cé pas compliqué, cé bon ou cé pas bon. Cé comme une toune, cé bon ou cé pas bon. Danny Bédard, ça cé bon. Cé pas compliqué, qu'est-ce que fout dans st'histoire là en chef de police à cheval?*

---

[20] Publicité d'une chaîne de pharmacies

Ben oui cé vrai, j'aime les chevaux. Stu un défaut ça? Ça dl'air que non. S'tu un défaut d'aimer les filles? LES FILLES, Moé, ch'pense pas hi, hi, hi, hi. En tout ka. Kesse que je fais dans son histoire? Ben, voudrais ben vous dire. En tout ka, j'peu vous dire que s'gars là, yé pété. Un hostie d'bon gars, ben intelligent, pi ben l'fun. Tu rigoles toujours avec. Pas sûr de comprendre tout ce qui raconte. Probablement, qu'yé pas sûr lui-même, hi, hi, hi, hi. Mais yé ben le fun.

J'vas vous dire chu ben content d'être dans son histoire. Moé, j'peux dire, que si tu le connais, y va te mettre dans son histoire, si y t'aime. Ben, comme y aime tout le monde, ben fais attention quand tu viens à Sainte-Agathe-des-Monts. Si y t'aime, fais attention y peut facilement t'inclure dans ses histoires. Moé en tout ka, j'aime ben un gars de même, quand y m'prend par le cou et qu'on rit comme des fous, ben, je l'aime comme ça hi, hi, hi, hi.»

— S'il y en a un autre qui a été surpris d'être tiré de sa tanière céleste, c'est bien Erik Satie. Facile, il n'est pas effectivement parti pour moi. Je n'avais qu'à déposer sur la platine un CD et j'étais en communication avec lui. Il y en a plusieurs comme lui, mais Erik c'est différent; j'ai… comment vous dire, un canal privilégié avec lui. Il a su composer la pièce qui enveloppe le scénario, lui donne la touche de l'espace, du temps et de l'amour. Erik.

— *Je pensais être tranquille dans les limbes de l'azur, non. René, sur sa planète, savoure ces notes, ce silence entre les notes, les pauses, les rallentando. Il les entend. Il a un faible pour mes notations farfelues. Il aurait pu choisir Chopin. Chopin? Non. Il n'entend que la Gymnopédie, pas la deuxième, pas la troisième, non, la première. Idée fixe. Il entend la première… Pourtant, moi si tranquille ici dans le silence éthéré, le silence quiet, le silence, dans l'attente de la note suivante, dans l'accord à venir, dans la sonorité suivante. C'est à ce moment qu'il me redescend d'où je suis pour représenter musicalement ses personnages Temps et Espace. Le temps, le tempo, l'espace, la dimension. Pour lui, je suis descendu de ma bulle, j'ai chaussé mon monocle et mon habit de velours, suis sorti de mon appartement céleste et suis venu à son rendez-vous. Il ne voulait rien savoir des partitions de guitare, de flûte et des autres instruments. Piano. Satie. Point. Quand on vous tire de cette façon du firmament par la manche posthume pour revivre une magie, il ne faut pas résister.*

J'arrive sur terre, il m'attend avec quelques bouteilles de vin, quand même de bon millésime, bon, j'ai compris que je ne m'ennuierai pas avec lui. Ce n'est pas grand chez lui : une chambre. Il m'attend, gêné et moi aussi. Après tout, je ne le connais pas cet amoureux de ma musique. Une chambre, pas de piano. « Erik, té sorti des limbes? » me lance-t-il en riant. « Viens, on va s'amuser. Je ne t'ai pas fait sortir de là pour rien. Tiens, installe-toi ici. Un verre de vin, pour te mettre dans l'ambiance terrienne? Comment as-tu fait pour sortir tout ça? Génial! C'est génial, ce que tu as composé me dit-il en me tendant un verre de vin dans un ballon gros, mais gros comme le plaisir de boire ensemble un bon vin. Je l'ai aimé tout de suite. Plein de chapeaux partout chez lui, hauts de forme, chapeaux melon, chapeaux safari, canotier, Stetson, panama et je remarque même des chapeaux chinois coniques. Il m'observe regarder sa collection de chapeaux accrochés sur les murs. Et il rit. "Santé" qu'il me dit en approchant sa coupe près de la mienne. Et nous trinquons. Tout de suite, je constate que j'ai bien fait de sortir de ma tanière céleste. Puis, il me fait apparaître un piano de je ne sais où. « La Gymnopédie, joue-moi la Gymnopédie, s'il te plaît. » Puis, serein, il se cale dans son fauteuil, sourit et ensemble nous partageons la Gymnopédie Sa no 1. Beaucoup plus tard, je suis reparti au ciel en zigzaguant, toujours assis sur mon banc de piano en jouant ma musique, un verre de vin musical à la portée du clavier, heureux de ce moment. Je suis donc retourné au ciel au petit matin pendant que René continuait de fredonner sa chère Gymnopédie.

Je suis sûr maintenant que cette soirée représente pour lui les moments les plus précieux, les plus délicats de sa personne.

— Si tous les personnages m'ont été inspirés par mon entourage, il en fut tout autre pour nos deux héros. Les personnages de Sissy Phasolle et Sue Haves ont été plus difficiles à construire. La seule façon que j'ai trouvée pour leur donner une représentation scénique fut de recourir à des personnages virtuels. Grâce à l'entreprise *Human Virtual Dream*, spécialisée en effets virtuels, nous avons pu faire toutes les scènes pour ces deux rôles. Écoutons le directeur d'HVD.

— *Quand René est venu nous voir avec son projet de film, nous avons tous, ici chez HVD, été emballés par ses idées. C'était un traitement radicalement nouveau au moment du tournage. Aussi, mon équipe et moi, nous avons monopolisé toutes nos ressources pour donner vie à ces deux personnages : Sissy Phasolle et Sue Haves. Nous avons imaginé d'utiliser l'hologramme pour leur donner une présence visuelle. Un procédé que nous explorions à ce moment. Le script de René nous offrait la possibilité de passer de la théorie à la pratique. Une fois les personnages modélisés, nous les avons, de façon transparente, insérés dans les scènes avec les personnages réels. Au début, nous avons dû recommencer nombre de scènes pour maîtriser la technique et faire en sorte que l'on ne puisse faire la différence entre les personnages réels et les deux personnages virtuels. René venait souvent faire un tour au studio et cela nous a permis de travailler les scènes pour qu'elles soient les plus réalistes possible. Toute mon équipe et moi avons eu un réel plaisir à travailler avec lui.*

— Il faut que je remercie toute la distribution pour leur formidable collaboration, disons… involontaire.

Les scènes ratées

Bon nombre de scènes ont dû être reprises, car elles créaient un fou rire général soit chez les acteurs ou au sein de l'équipe technique. Ainsi, la scène de la réplique de Bon San Tang.

> — Chers collègues, je vous ai convoqué pour vous présenter Monsieur… hum, comment dois-je dire… en se tournant vers l'Oriental, Monsieur San Tang ou Monsieur Tang?
> — Tang, ha, ha, ha, ha.

Coupé.

Reprise.

> — Chers collègues, je vous ai convoqué pour vous présenter Monsieur… hum, comment dois-je dire… ha, ha, ha, ha.

Coupé.

Reprise.

> — Chers collègues, ha, ha, ha, ha.

Coupé.

Il y a aussi celle-ci. Je ne me souviens pas combien de fois nous l'avons refaite. Il y avait une telle énergie sur le plateau que, certains jours, il était pratiquement impossible de tourner tellement l'atmosphère était survoltée.

Les yeux du collaborateur hypnotisé suivent docilement les membres coordonnés de Burt, de la phalange à la phalangette, de la phalangette à la phalangine, de la phalangine au métacarpe, du métacarpe à l'avant-bras, de l'avant-bras au bras et du bras au vert autoritaire de ses yeux. Vous vous souvenez de cette scène?

Avant d'arriver au résultat final que vous avez eu sous les yeux, regardez les reprises.

Les yeux du collaborateur hypnotisé suivent docilement les membres coordonnés de Burt, de la phalange à la phalangette, de, ha, ha, ha, ha. Coupé. Reprise.

Les yeux du collaborateur hypnotisé suivent docilement les membres coordonnés de Burt, de la phalange à la phalangette, de la phalangette à la phalangine, de, ha, ha, ha, ha.

Coupé.

Reprise.

Les yeux du collaborateur hypnotisé suivent docilement les membres coordonnés de Burt, de la phalange à la phalangette, de la phalangette à la phalangine, de la phalangine au métacarpe, du, ha, ha, ha, ha. Coupé. Reprise

Je pense que la chimie et l'atmosphère qui régnait sur le plateau faisaient en sorte que la moindre réplique ou situation visuelle déclenchait un fou rire général. Tous les membres de la distribution étaient tellement dans la peau de leur personnage qu'ils arrivaient au studio, fébriles, impatients de commencer à tourner. Comme je disposais d'un crédit illimité, et fait à noter, je suis resté à l'intérieur des limites du budget! Ce n'est pas peu dire, nous avons pu recommencer le nombre de fois qu'il fallait certaines scènes, et ce, au plus grand bonheur de tous. Je savais que lorsque ce moment se présentait, les acteurs étaient au sommet de leur art.

Une suite de lignes, de morceaux blancs non identifiables défilent de bas en haut. Les haut-parleurs grésillent un continu petchitt, petchitt, petchitt.

La corneille prit son envol.